S0-BOC-058

LA PAUVRETÉ
RICHESSE DES PEUPLES

La version anglaise de ce livre
paraîtra en octobre 1978
aux Editions Pergamon Press
Headington Hill
Oxford OX 30 BW

Collection " Développement et Civilisations "

Albert TEVOEDJRE

LA PAUVRETÉ RICHESSE DES PEUPLES

AVANT-PROPOS
de
Jan TINBERGEN (Prix Nobel)
PREFACE
de
Dom HELDER CAMARA

ÉDITIONS ÉCONOMIE ET HUMANISME
LES ÉDITIONS OUVRIÈRES
12, avenue Sœur-Rosalie
75621 PARIS Cedex 13

Ouvrages parus dans la même collection

L.-J. Lebret : *Dynamique concrète du développement.* Epuisé.
Albert O. Hirschman : *Stratégie du développement économique.*
L. Turin : *Combat pour le développement.*
H. Myint : *Les Politiques de développement.* Epuisé.
M. Cornaton : *Les Regroupements de la décolonisation en Algérie.*
F. Harbison et C.-A. Myers : *La Formation, clé du développement.* Epuisé.
P. Borel : *Les trois révolutions du développement.*
R. Livet : *Géographie de l'alimentation.*
J.-F. Salberg et S. Welsh-Bonnard : *Action communautaire ; une introduction.*
A. Birou : *Forces paysannes et politiques agraires en Amérique latine.*
G. Viratelle : *L'Algérie algérienne* (2e éd. revue).
S.-B. Naïdu : *La Voie indienne du développement.*
P. et P. Calame : *Les travailleurs étrangers en France.* Epuisé.
P. Houée : *Les Etapes du développement rural* (t. I et II).
M. Domergue : *Théorie et pratique de l'assistance technique.*
E. Dussel : *Histoire et théologie de la libération.*
P. Houée : *Quel avenir pour les ruraux ?*
G. Belloncle et Dr Fournier : *Santé et développement en milieu rural africain.*
Robert L. Heilbroner : *Réflexions sur l'avenir de l'humanité.*
Henri Desroche : *Le Projet coopératif.*
A. Meister : *La Participation pour le développement.*

Autres ouvrages sur le développement

J.-M. Albertini : *Les mécanismes du sous-développement* (coll. « Initiation économique »).
L.-J. Lebret : *Suicide ou survie de l'Occident ?*
R. Vernon : *Le Dilemme du Mexique.*
J. de Castro : *Géopolitique de la faim.*

Tous droits réservés
© Les Editions ouvrières, Paris, 1978
Imprimé en France Printed in France

CE LIVRE,

dont les droits sont au bénéfice des programmes de « solidarités nouvelles », conduits par l'Institut international d'études sociales,

Je le dédie
A mes fils :

Jacques,
Christian,
Eric,

A tous ceux de leur âge et de leur espérance
Afin qu'ils poursuivent l'œuvre commencée
Et redonnent vie au serment de Franz Fanon,
ce jeune de tous les temps :

« *En tant qu'homme je m'engage à affronter le risque de l'anéantissement pour que deux ou trois vérités jettent sur le monde leur essentielle clarté.* »

Genève, 8 septembre 1977.

AVANT-PROPOS

par Jan Tinbergen

Par cet ouvrage, le directeur de l'Institut international d'études sociales aborde quelques-unes des grandes questions auxquelles le monde se trouve aujourd'hui confronté, en cette période surtout où nous prenons conscience, pour reprendre l'expression du rapport Meadows, de certaines « limites de la croissance ». Comme l'écrit l'auteur lui-même (p. 148), « le but de cet ouvrage n'est pas d'analyser les formes et la nature de nouvelles relations internationales pour permettre l'instauration de ce nouvel ordre dont on parle tant aujourd'hui ». J'y vois pour ma part une réflexion philosophique sur de très nombreux aspects du développement, réflexion engagée par un auteur de culture africaine authentique, profondément marqué aussi par la culture occidentale, française en particulier.

Le titre, *La Pauvreté, richesse des peuples,* peut *a priori* sembler paradoxal ; en fait, il exprime précisément la thèse centrale de l'ouvrage qui, pour la formuler à ma manière, montre comment la simplicité du style de vie constitue la finalité même du développement personnel et social. Ce que nous appelons couramment la pauvreté est en fait la misère, contre laquelle l'auteur et moi-même nous nous insurgeons naturellement. Le second impératif qu'il met en évidence est le besoin de solidarité, et là encore je le rejoins tout à fait.

M. Tévoédjrè consacre une grande partie de son plaidoyer en faveur de la simplicité de vie à dénoncer la culture de l'opulence, caractéristique du mode d'existence d'un grand nombre d'Occidentaux, mais aussi de certains qui, dans les anciennes colonies, leur ont succédé aux postes de pouvoir — « les notables autochtones » (p. 57). Il montre combien la disponibilité de biens superflus intoxique nos sociétés, et de quelle façon notre agitation moderne a transformé le temps ou le loisir consacré à la réflexion en une « denrée rare », tandis que les grandes villes deviennent de « véritables cancers » (p. 66). Nous sommes par exemple nombreux en Occident, à commencer par moi, à ne savoir que trop la difficulté croissante d'éduquer les enfants, l'argent et les biens matériels auxquels ils ont accès ôtant aux parents toute possibilité de prendre certaines sanctions en cas de mauvaise conduite.

M. Tévoédjrè interpelle les peuples du tiers monde pour qu'ils fondent leur réflexion et leur effort sur l'induction, c'est-à-dire sur l'expérience et les réalités de leur propre existence, plutôt que sur des principes abstraits empruntés aux pays industrialisés et le plus souvent inadaptés à leur situation. Il recommande « la mobilisation interne », fondant en cela quelque espoir sur des expériences appropriées en Chine et au Japon. Il relève également la quête des jeunes Occidentaux pour une existence différente. Il y a là de nombreux points sur lesquels je me sens proche de son appréciation.

Mais, comme il arrive souvent, tout progrès de la réflexion pose de nouveaux problèmes ; c'est justement ce qui enrichit la pensée humaine et maintient nos esprits en éveil. Quelques exemples vont me permettre de l'illustrer.

Le problème qui apparaît tout d'abord est celui du seuil au-delà duquel la simplicité laisse la place à l'inutile et au superflu. Toute société occidentale ou urbaine ne me semble pas un mal en soi. L'industrie moderne a aussi rendu un certain nombre de services aux hommes : que l'on songe à de petites choses prises au hasard telles que la lumière électrique, l'aspirateur, les transports collectifs, ou les chemises qui n'ont plus besoin de repassage. Cela permet à beaucoup de disposer de plus de temps pour la lecture, la formation, ou le travail créatif. Il est vrai que par ailleurs la société moderne incite certains à dévaliser les bureaux de poste et il s'agit alors de rechercher où se situe exactement la cause de ce mal comme de tous les autres déraillements des sociétés occidentales. En suivant la pensée de M. Tévoédjrè, on peut affirmer que le manque de solidarité authentique avec les enfants, attesté par l'élévation alarmante du nombre de divorces, explique pour une grande part leur mauvaise conduite par la suite.

Reconnaissant que les très grandes villes sont devenues progressivement les foyers de toutes sortes de comportements sociaux néfastes, on se trouve alors devant un autre problème dont la complexité est bien connue : quelle est en fait la taille optimale d'une ville ?

De même, en accord avec l'auteur, je pense qu'un nombre excessif de voitures privées constitue un obstacle aux transports publics ; le délicat problème qui vient ici à l'esprit est de déterminer qui est habilité à avoir une voiture et qui ne l'est pas.

Je suis également volontiers l'auteur lorsqu'il décrit avec exactitude les conditions terribles dans lesquelles beaucoup de ceux qui sont devenus « superflus » dans les campagnes doivent maintenant « vivre » dans les villes, ou plutôt dans les taudis des bidonvilles. L'une des données du problème n'est-elle pas l'accroissement trop rapide de la population ? N'aurait-on pas dû accompagner, dès leur mise en œuvre par l'Organisation mondiale de la santé, les mesures d'amélioration de l'hygiène et de la santé dans de nombreux pays en développement par une politique de planification familiale, c'est-à-dire d' « espacement des naissances » ?

Enfin, l'auteur place quelque espoir dans l'attitude de la jeunesse des pays riches. J'ajouterai seulement que les jeunes générations sont socialement hétérogènes dans les pays occidentaux. Certains groupes nous donnent effectivement le bon exemple de la recherche d'une vie marquée par la simplicité et l'humanité ; malheureusement, il en est d'autres qui se sont engagés dans un comportement à proprement parler inhumain, fait de violence et de crime.

Ce livre attire toute notre attention sur les réalités les plus alarmantes de notre société occidentale. A juste titre, il nous appelle à prendre conscience de ces réalités, à raisonner de façon inductive à partir d'elles, et donc à réfléchir sur la façon dont il est possible de s'en débarrasser. C'est un défi de grande complexité — un défi dont Albert Tévoédjrè réussit, je puis l'affirmer, à nous faire saisir l'absolue priorité.

Jan Tinbergen.

PREFACE

par Dom Helder Camara

Plus que de vastes espoirs, ce livre d'Albert Tévoédjrè éveille d'immenses joies.

Quelle joie de voir les peuples d'Afrique, d'Asie et d'Amérique latine aboutir aux mêmes découvertes, de la plus haute signification pour leur avenir.

Ces peuples — que l'on ne peut toujours identifier à leurs dirigeants actuels —, en commençant l'expérience de l'indépendance politique, doivent répondre à une suite de défis :

— le défi de ne pas tomber dans la terrible équivoque consistant à se fixer comme idéal cette société de consommation que le gain déchaîné et sans limites transforme en enfer et que l'on dénomme déjà, avec raison, société de gaspillage et de suicide ;

— le défi de savoir distinguer avec intelligence la misère, repoussante et inacceptable, de la pauvreté qui, bien comprise et bien vécue, peut et doit être la richesse des peuples ;

— le défi de rester toujours éveillé face à la tentation du mimétisme ridicule qui mène à singer les cadres politiques des pays riches, à oublier et à mépriser cette identité culturelle tellement essentielle ;

— le défi de substituer, chaque fois plus, l'échange de technologie à l'inacceptable et dangereux transfert technologique ;

— le défi de résister au mirage de l'industrialisation massive, pour une large part responsable de la gangrène urbaine en pays sous-développés, et aussi de résister à la formation d'une alliance entre sociétés multinationales et groupes privilégiés autochtones qui, en exerçant un authentique colonialisme, facilitent la mise sur pied des paradis d'investissements et entraînent ainsi l'élévation insupportable des dettes extérieures de ces pays.

Face à ces défis, les peuples du tiers monde peuvent entamer de nouvelles expériences :

— l'expérience de partir courageusement vers la réinvention de l'économie en complétant l'économie de marché par une économie de services, en corrigeant les indices partiels et trompeurs, tels le produit national brut, par des indices de bien-être populaire qui appellent des réformes institutionnelles capables d'éviter ces incroyables discriminations de revenus que l'on observe dans la plupart des pays sous-développés ;

— l'expérience de découvrir que les superpuissances, qui prétendent vouloir aider les pays du tiers monde, sont en fait incapables de le faire sans secondes intentions, puisque leur aide laisse l'empreinte d'une présence excessivement pesante et proche d'un nouveau colonialisme ;

— l'expérience de découvrir — ainsi que nous le suggère une chanson populaire brésilienne — que « le monde sera bien meilleur lorsque le plus petit, qui peine, croira au plus petit » ;

— l'expérience de découvrir que la seule manière de sortir de l'impasse à laquelle aboutissent les projets « robotiseurs et robotisants » élaborés dans les bureaux de supertechniciens, c'est de les remplacer par des projets de dimension humaine : cette dimension humaine qui permettra aux peuples de participer effectivement à l'élaboration, à la mise en œuvre, à l'exécution et au contrôle de projets où chaque homme retrouve la dignité au sein de sa société.

***

Tout cela, et bien plus, on le voit et on l'entrevoit dans le livre d'Albert Tévoédjrè sans que le texte se perde dans le « vague ». Il prend corps et âme dans le « contrat de solidarité ». On sent que des pas décisifs sont engagés. Il ne nous sera plus possible de dire honnêtement qu'en aspirant à un monde plus respirable (*La Convivialité* d'Ivan Illich et le *Projet Espérance* de Roger Garaudy) nous nous égarons dans la stratosphère...

Certes, il nous reste encore un long travail à faire : rendre conscientes les communautés de base, toujours plus nombreuses dans les pays sous-développés comme dans les pays industrialisés, assoiffées d'aider à créer un monde plus juste et plus humain.

Sommes-nous encore en plein rêve, en pleine utopie ? Au Brésil, le peuple chante :

« Lorsque l'on rêve seul, ce n'est qu'un rêve.
Lorsque nous rêvons ensemble, c'est le commencement de la réalité. »

† Helder Camara,
archevêque d'Olinda et Recife.

CHAPITRE PREMIER

DÉSHONORER L'ARGENT

« Le lion qui tue, c'est le lion qui ne rugit point.
Il est comme l'argent qui silencieusement nous étrangle. »
Proverbe Chuana
(Transvaal occidental.)

« Je déteste de tout mon cœur ce désir fou de détruire la distance et le temps, d'accroître les appétits animaux et d'aller jusqu'au bout du monde pour les satisfaire. » (Gandhi.)

Un matin de janvier 1976, je reçois un télégramme de Moshoeshoe II, roi du Lesotho, m'offrant de participer à Maseru avec Ivan Illich, Harry Oppenheimer et Judith Hart à une conférence portant sur le développement international.

Après avoir beaucoup hésité — tant ces conférences sont nombreuses et parfois sans signification réelle — je me laisse convaincre, espérant contribuer à faire avancer quelques idées auxquelles je crois, et surtout apprendre quelque chose de nouveau. (Je devais passer pour la première fois à Johannesburg, ce qui représente une expérience assez unique pour le Négro-Africain que je suis.)

Et j'ai, par exemple, appris combien le Lesotho était dépendant de l'Afrique du Sud. Un soir, en effet, chez le premier ministre, le Dr Jonathan Lebua, au cours d'une réception en l'honneur de M. A. Jumbe, premier vice-président de Tanzanie : panne totale d'électricité au moment même où le premier ministre du Lesotho commençait un discours officiel à l'adresse de son hôte ; panne d'électricité pendant toute une soirée au cours de laquelle rien n'était impossible : enlèvement, coup d'Etat, etc. Un voisin que j'interroge me fait réaliser qu'au Lesotho l'électricité est fournie par une centrale extérieure, située en territoire sud-africain, « puisque nous n'avons pas les moyens d'un générateur moderne à Maseru ».

Le lendemain de cet incident, je devais introduire un débat sur la coopération devant la conférence à laquelle j'étais convié. La nuit avait porté conseil. Je décidai de parler de la pauvreté, de la définir plus précisément et plus complètement, de dénoncer le mode de croissance que nous avons généralement adopté et qui nous rend toujours plus dépendants des autres. J'étais inquiet d'une telle approche, ne sachant comment l'auditoire allait réagir.

Et pourtant mon exposé eut un succès qui me surprit moi-même. A la fin du débat, Ivan Illich me prit par le bras : « Vous devez approfondir ce que vous venez de nous présenter et écrire un livre, c'est important ! »

Ce conseil m'est resté. Profitant de diverses conférences prononcées dans le cadre de mes activités à l'Institut international d'études sociales, j'ai poursuivi ma réflexion qui me conduit à affirmer que la pauvreté peut constituer une richesse pour les peuples. Voilà qui surprendra plus d'un... Je me propose de montrer que le paradoxe n'est qu'apparent.

Lever le paradoxe : un regard neuf sur la pauvreté

J'évacue d'emblée l'inessentiel et l'inutile : la pauvreté qui signifie indigence et misère ; je l'ai rencontrée et je l'ai vécue.

Je l'ai vécue parmi les miens et ne l'ai surmontée que grâce à une mère vaillante à l'extrême, un père marqué de sagesse profonde — et grâce aussi à la Providence qui a mis sur mon chemin tel missionnaire qui fut bon pour nous et qui éveilla mon esprit. C'était dans mon histoire de jeune homme « Perse » rencontrant « Cornutus », ainsi qu'il est relaté dans *L'Enfant d'Agrigente.*

Ce préambule est pour affirmer simplement que la famine qui tue, les maladies tropicales, le chômage permanent, la mendicité, l'inculture, la cabane exiguë où s'entremêlent bêtes et gens, rien de cela — que l'on désigne pauvreté et que j'appelle misère — ne m'est étranger. Donc je crois savoir la nature et l'objet de la bataille pour le développement.

On devine sans doute ainsi que je choisis délibérément de contribuer à réhabiliter la pauvreté, à la considérer non plus comme une tare, mais comme une valeur positive.

Les arguments pour justifier ce choix ne sauraient manquer à qui veut participer à cette réflexion.

En effet, tous les dictionnaires un peu complets témoignent que « pauvre » veut dire *aussi* « qui a tout juste le nécessaire », « qui a ce qu'il faut mais non le superflu ».

C'est cette définition que j'adopte et que je voudrais privilégier.

Littré me donne raison. Mille autres sources le confirment, comme le « Webster » (1) qui cite un mot resté célèbre de R.A. Schermerhorn : « In poverty, morality and even a touch of happiness was possible, never in destitution. »

Pour renforcer ces définitions d'écoles, je m'appuie sur diverses réflexions, pensées, attitudes, qui foisonnent dans l'histoire, la littérature, les livres de sagesse du monde entier.

Parlant de la tradition judéo-chrétienne, Albert Gelin (2) distingue trois orientations :

— la tendance qui considérait la pauvreté comme un scandale et voyait dans le pauvre une « victime pitoyable » ;

— celle qui assimilait l'état de pauvreté à l'état de péché : « La richesse est l'une des nuances les plus claires de la sanction qui récompense le juste ici-bas » ;

— celle enfin qui nous intéresse pour notre propos et qui se trouve pour ainsi dire dans le « juste milieu » :

> « Ne me donne ni indigence ni opulence, laisse-moi gagner ma part de pain, de crainte qu'étant comblé je n'apostasie et ne dise : « Qui est Yahvé ? » ou encore qu'étant indigent je ne dérobe et ne profane le nom de Dieu (3). »

En parcourant les nombreuses anthologies de la pensée juive, celle notamment d'Edmond Fleg, on est impressionné par l'importance des réflexions sur le thème de la pauvreté. Un nom me paraît devoir être privilégié, celui de Moïse Ben Maimon, alias Maimonide. De Cordoue au Caire et à Fès, Maimonide se révéla un penseur profond et brillant et l'un des porte-parole les plus écoutés d'une communauté que la persécution et l'exil avaient éprouvée très durement.

Il suffit de rappeler l'un de ses livres les plus marquants :

---

(1) Webster's Third New International Dictionary of the English Language.

(2) Voir A. Gelin : *Les Pauvres de Yahweh,* Paris, Editions du Cerf.

(3) Prov. 30, 8-9.

Le Guide des égarés, et d'en tirer l'idée essentielle que le seul élément commun à tous les hommes est bien la dignité humaine. Ce qui a entraîné dans la tadition judaïque l'unification de deux concepts généralement séparés, justice et charité, en un seul : la solidarité économique que désigne le mot « tsédaqua ». L'idée selon laquelle le riche se doit de donner une part de son superflu aux pauvres n'était pas une simple recommandation, mais une obligation morale, transformée en loi à l'époque contemporaine par l' « imposition sur le revenu ». Maimonide précise par ailleurs (Traité Zeraïm) que la tsédaqua est destinée à recréer une société ayant vaincu la misère et qu'elle prend des formes de qualité très diverse. Il distingue ainsi huit degrés dans la tsédaqua, « le plus bas étant de donner avec tristesse et le plus haut étant de procurer du travail à un pauvre ou de l'associer à ses propres affaires de façon qu'il soit capable de ne plus retomber dans le besoin (4). »

Mais on retrouve l'autre sens positif de la pauvreté en de nombreux textes qui inspirent fort judicieusement Denis de Rougemont lorsqu'il écrit : « La culture d'Israël sera pauvre en raison même de sa pureté. Sa pauvreté sera considérée comme sa grandeur. Car ce qui est grand, c'est ce qui comble la mesure. Ce n'est pas la richesse, mais la fidélité (5). »

Il faudrait en vérité rappeler ce que chacun sait et qui se perd dans les cimetières de l'oubli — volontaire ou non : le Livre de Job, le Magnificat, les Béatitudes dans Matthieu, *mais aussi dans Luc,* d'expression plus percutante peut-être (6). Il faudrait rappeler et souligner que cette conduite d'un Dieu qui abaisse les grands et élève les humbles, on la retrouve dans la mythologie et les *textes sacrés* de tous les pays voisins d'Israël, comme on l'observe déjà dans la littérature gréco-romaine.

Celle-ci est riche de jugements, de préceptes qui confortent notre réflexion. Arrêtons-nous à Horace et rappelons son *aurea mediocritas* (le juste milieu plus précieux que l'or). Soulignons sa maxime : « S'habiller à sa taille, se chausser à son pied, voilà la vraie sagesse. »

---

(4) Voir L. Stoléru, *Vaincre la pauvreté dans les pays riches,* Flammarion, Paris, p. 218.

(5) Voir Denis de Rougemont, *Penser avec les mains,* Gallimard, Paris, 1972, p. 63.

(6) « Malheur aux riches », lit-on dans l'Evangile de saint Luc. Ce que saint Jacques explicite en disant : « A vous maintenant, riches ! Pleurez, éclatez en sanglots à la vue des misères qui vont fondre sur vous... Voici qu'il crie contre vous, le salaire dont vous avez frustré les ouvriers... »

Nous retrouvons là tous les « anciens d'Occident » — de toutes les écoles, d'Héraclite à Sénèque, de Plutarque à Virgile.

Plus près de nous, voici Bossuet qui retrace l'attitude des Romains : « La pauvreté, écrit-il, n'était pas un mal pour eux. Au contraire, ils la regardaient comme un moyen de garder leur liberté plus entière, n'ayant rien de plus libre ni de plus indépendant qu'un homme qui sait vivre de peu. »

Proudhon, plus récemment encore, érige la pauvreté en source de vérité et de joie : « La pauvreté est décente — ses habits ne sont pas troués comme le manteau du cynique, son habitation est propre, salubre et close... Elle n'est ni pâle ni affamée. Comme les compagnons de Daniel, elle rayonne de santé en mangeant ses légumes ; elle a le pain quotidien, elle est heureuse. La pauvreté est bonne et nous devons la considérer comme le principe de notre allégresse (7). »

Je veux encore rappeler le nom de Valdo qui fut déclaré hérétique, mais dont la secte — celle des Vaudois — avait placé en tête de tout « l'éminente dignité des pauvres ». Ce qui nous rapproche de François d'Assise qui, à la même époque, magnifiait la nature et célébrait la fraternité des humbles.

L'avoir et ses illusions

Certains ont surtout perçu les méfaits de la richesse, source d'envie qui mène à la pauvreté prise dans le sens de privation, image en négatif de la pauvreté-valeur telle que nous l'entendons.

Nous pouvons ainsi retrouver Bossuet lorsqu'il met le doigt sur un illogisme qu'il qualifiait alors de nouveau :

> « Il est venu dans le monde une certaine bienfaisance imaginaire... qui nous fait de nouvelles nécessités... de là, messieurs, il est arrivé — le croirez-vous si je vous le dis ? — de là, dis-je, il est arrivé que l'on peut être pauvre sans manquer de rien. »

---

(7) Illich reprend la même idée en évoquant la notion d'austérité telle que définie par Thomas d'Aquin : « Vertu qui n'exclut pas tous les plaisirs, mais seulement ceux qui dégradent la relation personnelle. »

C'est aussi la notion d'austérité que retient Denis Goulet, cité plus loin (page 91, note).

De même, pour La Bruyère, « l'occasion prochaine de la pauvreté, c'est de grandes richesses ». Ce que reprendra Sismondi quand il dira : « La richesse crée la pauvreté ».

Les Américains ont adopté comme on le sait ce texte bien connu, « Desiderata », qui date de 1692 et fut découvert dans une église de Baltimore, disant simplement :

> « Si vous vous comparez aux autres vous deviendrez sans doute vains et amers, car il y aura toujours quelqu'un au-dessus et au-dessous de vous » (8).

Si cette sagesse, parce que trop souvent ignorée, n'a pas empêché le capitalisme de fleurir, il demeure que « Desiderata » se rapproche du refus de l'ostentation comme modèle de développement.

On se souvient peut-être qu'en 1935 George Gershwin a mis en scène ces Noirs américains Porgy et Bess qui, de « leurs profondeurs », crièrent et chantèrent des stances de sagesse qui demeurent encore populaires :

> « Oh ! I got plenty o'nuttin
> An' nuttin's plenty for me
> I got no car, got no mule, got *no misery*. » (9)

Si nous débordons le monde occidental, nous savons que les deux grandes religions asiatiques, l'hindouisme et le bouddhisme, considèrent que la vie ascétique permet au croyant d'atteindre la purification transcendantale.

Gandhi proclamait que « la civilisation, au vrai sens du terme, ne consiste pas à multiplier les besoins, mais à les limiter volontairement. C'est le seul moyen pour connaître le bonheur et

---

(8) Cité dans « The Decline of Jonesism » article de Hazel Henderson dans *The Futurist,* octobre 1974. S'inspirant de ce précepte, Martin Luther King aimait toujours partager avec ses amis la maxime bien connue de Douglas Mallock :

« Si tu ne peux être pin au sommet du coteau
Sois broussaille dans la vallée,
Mais sois la meilleure petite broussaille
Au bord du ruisseau...
Si tu ne peux être soleil, sois étoile ;
Ce n'est point par la taille que tu vaincras ;
Sois le meilleur, quoi que tu sois. »

(9) Oh ! je suis riche de rien du tout
Et « rien du tout » c'est plein de richesses pour moi.
J'ai pas de voiture, pas de mulet, et pas de tracas.

nous rendre plus disponibles aux autres... Vouloir créer un nombre illimité de besoins pour avoir ensuite à les satisfaire n'est que poursuite du vent... »

L'Islam offre quant à lui une abondante documentation sur le sujet. On connaît la parole du prophète Mahomet : « O Dieu, faites que je vive pauvre et que je meure pauvre. » Le Coran relate l'histoire de Karoun, qui illustre le paradoxe que la fortune peut être l'ennemie du croyant. Car le pouvoir à travers la richesse devient parfois une malédiction.

Le mot *derviche,* perse à l'origine, signifie « pauvre », et les derviches sont aussi considérés comme ces sages « dont les yeux en s'élevant pénètrent dans la haute lumière où tout est vérité ».

Toujours dans l'Islam, je rappelle encore que la « Zakat » (« Tsédaqua » chez les Hébreux) est l'offrande recommandée d'une partie de sa fortune aux pauvres. Abu Thar el Ghafair estimait cependant que la richesse devait être répartie entre tous. Il était opposé à l'existence de riches et de pauvres dans une même communauté. L'un des livres arabes les plus célèbres est le livre *Du Bien et du Mal,* qui constitue un véritable recueil de louanges à la pauvreté. Aussi un autre ouvrage, paru au XVe siècle sous la signature d'El Dalqi, illustre *La Pauvreté et les Pauvres* et n'est en fait qu'une biographie de savants d'autant plus érudits qu'ils étaient pauvres. C'est ainsi qu'on prit l'habitude, en écrivant un message de signer : « Le pauvre de Dieu — un tel », coutume notamment suivie par les ulémas, dont on connaît la science et la sagesse.

Les Arabes d'aujourd'hui — et bien d'autres de la même croyance — poursuivent la longue marche initiée par le Coran.

Regardez ces hommes de Marrakech, de Tizi-Ouzou, de Carthage : si beaucoup d'entre eux se souviennent de leur combat — « Je ne sais plus aimer qu'avec la rage au cœur » — tous paraissent trouver de longs instants de bonheur :

« Dans la qualité d'un regard

Dans la valeur d'un accord subtil. » (Anna Gréki.)

Et voici la sagesse profonde des nègres de partout, ceux du Bénin, de Bahia, de Basse-Terre, de Cuba, d'Haïti ou de Belize, dont les proverbes, les chants, les danses savent et disent la pauvreté qui signifie pour chacun d'eux : « Ton morceau de terre fait pour le courage de tes bras, avec tes arbres fruitiers alentour, tes bêtes dans le pâturage, toutes tes nécessités à portée de la main et ta liberté qui n'a pas une autre limite que la saison bonne ou mauvaise, la pluie ou la sécheresse. » (Jacques Roumain.)

***

Vaincre l'exploitation et la misère

Cette idéalisation religieuse et poétique de la pauvreté ne doit pas nous égarer. Car la philosophie d'un ordre voulu par Dieu, dans lequel riches et pauvres devraient rester à leur place et où les pauvres, notamment, devraient se contenter de leur sort — « Il y aura toujours des pauvres parmi vous » *(Deutéronome)* — a été largement utilisée et exploitée par beaucoup qui voulaient dominer, assujettir, s'enrichir en rendant les autres toujours plus misérables.

On a même prétendu par extrême aberration qu'il faut que continuent d'exister des pauvres pour que les riches, en faisant la charité et l'aumône, gagnent leur salut.

Les *Sources* de Gratry dénoncent cette justification par le spirituel d'un ordre temporel injuste : « L'axiome ' Etre misérable dans cette vie pour être heureux dans l'autre ' n'a en fait rien de chrétien (10). »

La révolution industrielle, en permettant de créer indéfiniment des biens nouveaux grâce à la science, à l'énergie et aux machines, a pu faire penser que l'enrichissement indéfini était possible pour tous à plus ou moins long terme. La croyance en un progrès par les richesses a donné l'illusion que la modération et une « saine pauvreté » étaient des modèles de vie dépassés. Le capitalisme en sa phase ascendante ne s'est pas rendu compte des contradictions sociales qu'il faisait naître. Dès le début du capitalisme industriel on voyait apparaître le paupérisme. Le terme *Verelendung*, retenu par Karl Marx, désigne précisément le système qui conduit à l'existence d'une masse d'individus *réduits à l'indigence* et obligés de recourir, pour subsister, à la charité publique ou privée.

La situation extraordinairement misérable des ouvriers, leurs conditions inhumaines de travail et de vie, le malheur extrême des campagnes suscitèrent partout en Europe l'indignation de

(10) L'Evangile de Marc dit en effet : « Celui qui renonce à tout, trouve tout, au centuple, même en cette vie. » (Marc, X, 29 et 30.)

penseurs et d'écrivains. Parmi eux Léon Faucher, Robert Owen, Thomas Carlyle, Karl Biedermann.

Parmi eux aussi se trouve Charles Fourier, qui constate justement dans *Le Nouveau Monde industriel et sociétaire :* « On a si bien reconnu ce cercle vicieux de l'industrie que, de toutes parts, on commence à le suspecter, et s'étonner que la pauvreté naisse en civilisation de l'abondance même. »

Napoléon III, auteur de *L'Extinction du paupérisme,* prétend de son côté que « la pauvreté ne sera plus séditieuse lorsque l'opulence ne sera plus oppressive ».

Avec Marx et Engels vient le grand tournant. Les misérables, marginaux de la société industrielle, accèdent au rang de prolétaires et leur force potentielle est telle qu'ils constituent la classe révolutionnaire par excellence, « celle qui détruira demain la société capitaliste et prendra le pouvoir pour édifier le communisme ». « Ces prolétaires qui n'ont rien en propre à défendre doivent détruire les privilèges... »

Le manifeste du Parti communiste proclame alors :

> « Homme libre et esclave, oppresseur et opprimé, face à face toujours, empoignés dans une lutte ininterrompue, souterraine quelquefois et d'autres fois franche et ouverte ; dans une lutte qui conduit à la transformation révolutionnaire de tout le régime social, ou bien à l'extermination des deux classes belligérantes. »

Il devient objectivement dangereux d'être classé parmi les riches, les bourgeois et les puissants...

Marx avait surtout perçu les risques de l'abondance : « Plus le monde des choses augmente en valeur, écrit-il, plus le monde des hommes se dévalorise. L'un est en raison directe de l'autre. » Et encore, s'adressant à Ricardo : « Ils veulent que la production soit limitée à des choses utiles, mais ils oublient que la production d'une quantité trop importante de choses « utiles » conduit à rendre trop de gens inutiles. » Enfin, une réflexion qui me paraît essentielle à notre propos et à la thèse que j'exprime ici est celle que Marx a notamment émise dans *Travail salarié et Capital* : « Qu'une maison soit grande ou petite, tant que les maisons d'alentour ont la même taille, elle satisfait à tout ce que socialement on demande à un lieu d'habitation. Mais qu'un palais vienne s'élever à côté d'elle, et voilà que la petite maison se recroqueville pour n'être plus qu'une hutte... Elle aura beau se dresser vers le ciel tandis que la civilisation progresse, ses habitants se sentiront toujours plus mal à l'aise, plus insatisfaits, plus à l'étroit entre leurs quatre murs, car elle restera toujours petite si le palais voisin grandit dans les mêmes proportions ou dans des proportions plus grandes. »

***

Réinventer son devenir

Ce panorama, que je viens d'esquisser à la manière d'un atlas, à la vérité fort incomplet, je voudrais en tirer argument pour dire que la pauvreté, je la conçois opérationnelle, c'est-à-dire levier pour l'action de développement, planche de salut dans un monde où il est constamment question de « réinventer son devenir ».

La pauvreté ainsi définie, n'étant pas fatalité ou résignation mais valeur positive à choisir librement, interpelle tous les peuples.

C'est pourquoi je me situe à la fois du point de vue des pays que l'on dit « développés » et plus particulièrement de ceux qu'il est convenu de désigner sous le vocable de « tiers monde ». Je veux ancrer mon propos dans la réalité du vécu quotidien des hommes au travail et des hommes sans travail.

Ma démarche consiste à rechercher pourquoi et comment la pauvreté redéfinie et réorientée constitue sans doute la seule voie de « s'autodévelopper ».

Cette option ne vient pas d'un goût particulier pour exalter une vertu morale. Ce n'est pas du romantisme, celui du « bon pauvre » ou du « bon sauvage », mais bien une utopie directrice nécessaire, au sens où l'on peut dire avec René Dumont que la perspective pour l'humanité aujourd'hui demeure « l'utopie ou la mort » (11).

Lorsque je discutais du projet de ce livre, il y a déjà plusieurs mois, à Maseru, avec Ivan Illich, nous étions surtout tombés d'accord sur un point, capital à mes yeux : il ne s'agit pas de tomber dans le mythe de l' « âge d'or ». Il est indécent d'entendre des gens, souvent repus, exalter les vertus des peuples qui souffrent de la pauvreté. Celle-ci, lorsqu'elle atteint la chair

---

(11) Voir aussi le livre de Georg Picht : *Der Mut zur Utopie* (Munich, R. Piper, 1969), traduit en français sous le titre *Réflexions au bord du gouffre,* Laffont, Paris, 1974.

et l'esprit, n'est pas créatrice de valeurs. On sait par exemple que les périodes de pénurie, de famine et de restrictions, si elles font naître des gestes de solidarité, provoquent également les pires formes d'exploitation — marché noir, privilèges soudains, etc. Plus fondamental encore : cette pauvreté peut atteindre les capacités créatrices de l'homme, parfois irrémédiablement. Je ne veux pas confondre l'adversité qui dégrade et celle qui ennoblit.

Cela dit, et c'était là mon point d'accord profond avec Illich, le battage que l'on fait pour émouvoir sur la pauvreté, la propagande qui veut dramatiser le dénuement et qui nous montre des masses d'hommes en haillons — visages marqués par la faim et projetés sans pudeur dans les cinémas, sur les écrans de télévision et dans les revues spécialisées — nous trouvions cela morbide.

J'affirme que ce n'est pas de cette vision que l'on peut inférer un modèle positif de développement.

Les ressorts psychologiques mis en jeu par de telles campagnes me paraissent tout à fait suspects. On veut ainsi consacrer une orientation, un schéma de vie qui est l'opulence. La richesse devient alors modèle et synonyme de développement.

Récemment, en Haute-Volta, où malgré d'affligeantes réalités une rare et courageuse politique de dialogue démocratique continue de s'exprimer, une réaction de jeunes cadres contre le « misérabilisme » a retenu l'attention des observateurs. Ainsi dans le rapport d'une commission spéciale créée en avril 1976 sur l'économie du pays, on peut lire ces remarques d'un jeune instituteur :

> « Au plan international, la Haute-Volta se situe dernière ou avant-dernière des vingt-cinq pays les plus pauvres du monde. La récente sécheresse qui a culminé en 1973 a encore renforcé cette idée. Notre « dénuement » est affiché à tous les niveaux. Même les responsables du pays se sont ingéniés dans les discours officiels à clamer notre pauvreté au point qu'un journaliste a proposé de rayer purement et simplement la Haute-Volta de la carte du monde parce que non viable. »

De telles attitudes ne sont pas rares dans les pays de la faim. Montrer les plaies pour provoquer la pitié, qui ne l'a vu au Bangladesh ou ailleurs ?

Mais l'aumône, on le sait, ne règle pas les problèmes, ne corrige pas les structures. Pire, l'histoire nous enseigne qu'elle conduit à des compromis dangereux et les institutions les plus vénérables — l'Eglise en tête — n'y ont pas échappé.

Accumulation sauvage et maîtrise sociale des besoins

Les ouvrages qui paraissent chaque jour sur le développement permettent d'affirmer que l'important n'est pas l' « avoir », mais l' « être », et sur ce plan l'homme voltaïque pourrait sans doute constituer une leçon pour plus d'un... Briser le miroir aux alouettes de la consommation de masse n'est plus en effet une vaine prétention, c'est une nécessité. Celle-ci doit conduire, comme nous le verrons plus loin, à une stratégie de développement fondé sur la « maîtrise sociale des besoins », sans laquelle les « besoins essentiels » deviennent illimités, et par conséquent jamais satisfaits, selon le mécanisme trop connu de la « frustration auto-entretenue » (12).

Percevoir l'existence et concevoir le développement à travers la spirale sans fin de l'acquisition de biens douteux, inutiles, dont la recherche est contraignante et illimitée, voilà l'absurdité.

---

(12) L'analyse de Schopenhauer sur le « vouloir » (au sens de désirs et d'appétits) devrait être rappelée à ce propos. J'en tire ici quelques extraits pour la réflexion :

« Tout vouloir naît d'un besoin, donc d'une privation, donc d'une souffrance. Satisfait, le besoin disparaît ; pourtant, pour un seul désir satisfait, dix au moins restent inassouvis. Aucun désir ne peut donner une satisfaction durable et fixe. Ce qu'on reçoit, c'est toujours l'aumône jetée aux pieds du mendiant et qui prolonge sa vie aujourd'hui pour prolonger demain son tourment. C'est pourquoi nous n'obtenons ni repos ni bonheur durable tant que nous nous abandonnons à la poussée des désirs... Sans repos, aucun bien-être n'est possible. L'homme sujet du désir est fixé à la roue tournante d'Ixion ; il verse toujours dans le tonneau des Danaïdes ; il est le Tantale brûlé d'une soif éternelle.

« Mais quand une circonstance extérieure ou notre harmonie intérieure nous tire soudain du torrent sans fin de la volonté, arrache notre connaissance à son état d'esclave de nos désirs, notre attention regarde les choses librement, en tant que représentations et non en tant que ressorts. Alors, ce calme, toujours cherché mais toujours fuyant, se présente de lui-même. Nous nous trouvons pleinement bien. C'est là cet état sans douleur qu'Epicure célébrait comme le bien suprême, comme l'état des dieux. A cet instant, nous sommes délivrés de la pesante poussée de la volonté ; nous célébrons le sabbat du travail forcé que nous impose le vouloir ; la roue d'Ixion s'arrête... Qu'importe alors qu'on voie le soleil se coucher de la fenêtre d'un palais ou à travers les grilles d'un cachot ! »

C'est aussi un combat d'arrière-garde pour les peuples du tiers monde alors qu'en Occident même des voix multiples s'élèvent pour réclamer une plus juste appréciation du bien-être des hommes, non pas seulement en termes de niveau de vie, mais surtout en termes de meilleures conditions de vie, et en référence à *une vie de qualité.*

Nous l'avons tous appris dans nos manuels scolaires : la plus simple définition de l'homme est qu'il est un « animal raisonnable ». Si l'on ne veut donc pas le réduire à un « cochon à l'engrais », il y a nécessité d'appréhender en une seule et même vision ces deux composantes ontologiques de l'être humain. Le développement, c'est alors ce qui favorise en nous la satisfaction de tous les besoins essentiels, y compris ceux de la raison et donc de l'esprit. Si l'on intègre selon cette optique d'équilibre matériel et spirituel le critère de santé mentale pour définir le degré de développement, j'estime comme Johan Galtung qu'il faut reconsidérer l'appréciation portée sur un pays dit « développé » alors que 30 % de ses malades hospitalisés sont enfermés dans des établissements psychiatriques.

Absurdité donc que l'accumulation sauvage qui devient finalement toxique pour le corps social.

Certes, l'analogie biologique appliquée aux réalités sociales a souvent conduit à des interprétations abusives (13). Cela permet cependant des comparaisons saisissantes. C'est pourquoi je rappellerai que la biologie nous apprend qu'il y a « accumulation » quand une substance introduite dans un organisme n'est pas éliminée. Elle est, ou elle devient, toxique. S'il est vrai que l'ontogenèse reproduit la phylogenèse et s'explique par elle, il apparaît alors que la richesse, lorsqu'elle signifie accumulation désordonnée de biens individuels, devient à la longue toxique pour les sociétés, comme la graisse est généralement toxique pour le corps. Car la société d'opulence, non contrôlée ni maîtrisée, devient malade de sa richesse due à une inflation de réserves de biens superflus.

La richesse des sociétés industrielles dissimule finalement une misère grandissante.

De nombreux ouvrages montrent avec clarté que si les sociétés industrielles occidentales disposent sans limite de cosmétiques, d'articles de fantaisie en matière plastique, d'élégantes

---

(13) Cf. *Discours biologique et ordre social,* ouvrage collectif de Pierre Achard, Antoinette Chauvenet, etc., Paris, Editions du Seuil, 1977.

automobiles, les coûts écologiques, sociaux et humains qu'elles engendrent aussi confondent l'entendement, qu'il s'agisse de la pollution de l'air et de l'eau, de la décrépitude des villes et des engorgements urbains, de la dislocation des structures sociales, de la toxicomanie ou de la violence (14).

Les promoteurs des sociétés industrielles n'ont voulu voir que les fantastiques pouvoirs de création libérés par le progrès scientifique et technique. Il a fallu trop longtemps pour s'apercevoir aussi des non moins fantastiques pouvoirs de destruction des moyens industriels.

François Ramade (15) donne, quant à lui, maints exemples où l'homme se comporte en prédateur, comme s'il n'appartenait pas lui-même à l'écosystème dont il bouleverse l'équilibre.

Georgescu-Roegen (16) a démontré qu'en réalité tout système de production est un système de production de déchets. A chaque stade de transformation d'une matière première apparaissent des déchets — depuis le niveau de l'extraction jusqu'à celui de l'utilisation du produit qui finit lui-même par être jeté ou détruit.

Plus la production augmente, plus la pollution s'accroît. Plus cette production est « sophistiquée » et plus la pollution est dangereuse. La pollution des mers et des rivières par des produits chimiques atteint les contrées même les plus éloignées des complexes industriels d'origine.

Les piles électriques hors d'usage, régulièrement jetées dans les décharges publiques, non loin des rivières, contiennent — on le sait — un taux élevé de mercure.

Plusieurs mois après s'être échappée de l'usine tristement célèbre de Seveso, la dioxine continue de faire de nouvelles victimes. Et il ne se passe pas de jour sans un nouveau petit Seveso. Les inquiétudes soulevées par la chute, en territoire canadien, du satellite nucléaire Cosmos 954 resteront longtemps dans les mémoires.

Quand l'air est « trop » pollué à Los Angeles, remarque

---

(14) Pour une analyse détaillée et une théorisation de ces phénomènes, on pourra consulter : *La Société d'abondance* de J. Galbraith, *L'ère de l'opulence,* Ed. Calmann-Lévy, 1961 ; Vance Packard, *Les Obsédés du standing,* Ed. Calmann-Lévy, 1960 ; A. Toffler, *Le Choc du futur,* J.-P. Dupuy et J. Robert, *La Trahison de l'opulence,* PUF, 1976.

(15) François Ramade : *Eléments d'écologie appliquée,* Paris, Ediscience, 1974.

(16) N. Georgescu-Roegen : *The Entropy Law and the Economic Process,* Cambridge (Mass.), Harvard University Press, 1971.

René Dumont, on conseille aux habitants de *ne pas respirer*. La planète entière devra-t-elle bientôt *ne plus respirer ?*

Montaigne avait dénoncé « la science sans conscience ».

Lorsque l'homme respire un air vicié, vit dans le bruit, mange des aliments soumis à des additifs de conservation et de coloration, travaille dans une entreprise dont il ne connaît ou ne comprend pas les rouages, lorsqu'il utilise une grande partie de son temps dans des transports « bondés », rentre chaque soir dans le casier qui lui est alloué dans une cité-dortoir, je ne puis dire qu'il est riche, je ne puis dire qu'il est développé.

L'économiste suédois Stafan Linden, dans son ouvrage *The Harried Leisure Class,* s'est appliqué à montrer que le temps se raréfie à mesure qu'augmente l'abondance, car la consommation prend du temps. Pour acheter, utiliser et entretenir les voitures, les bateaux, les piscines, les équipements sportifs individuels, il faut beaucoup de temps, d'abord pour gagner l'argent nécessaire, ensuite pour en bénéficier. C'est ce que confirme Walter Weisskopf quand il souligne que les dimensions réelles de la pénurie sont plus existentielles qu'économiques. Jacques Attali résume bien notre sentiment : la société n'est plus que « l'organisation collective de la destruction solitaire du temps » (17).

Est-ce bien cette existence à côté de la « vraie vie » que nous voulons ? Perdre le temps ou prendre son temps : cela fait penser au Bédouin à qui on expliquait le progrès. Avec une ligne de chemin de fer récemment construite, il pourrait, lui disait-on, parcourir le trajet à travers le désert en quatre heures, alors qu'il lui fallait auparavant une semaine.

« Bien, dit le Bédouin, mais le reste du temps, à quoi devrai-je le passer ? » C'est une question qui mérite réflexion.

Le temps, première richesse pour posséder le monde, le voir, le connaître, l'assumer, ne peut être réduit à l'argent.

La course à l'argent, à toujours plus d'argent, ne peut donner cette richesse du temps, et l'on arrive à cette absurdité que plus la richesse d'un pays paraît augmenter, en fait plus son dénuement humain se précise... car c'est la qualité de la vie de chacun et de tous ensemble qui tend à disparaître. Et l'on n'est plus tout à fait surpris d'entendre par exemple M. Philippe

---

(17) J. Attali : *La Parole et l'Outil,* Paris, Presses universitaires de France, 1976.

de Weck, président de l'Union de banques suisses, insister sur « la responsabilité sociale des banques en économie de libre entreprise » (18)... Mais concentrons-nous un instant sur une préoccupation tout aussi significative.

Les maux de la civilisation industrielle

Il n'y a pas de meilleur baromètre du bien-être des hommes que leur propre santé. Or, si nul ne peut nier que les progrès de la médecine sont réels, il n'est pas douteux non plus que les problèmes de la santé sont loin d'être résolus. Les maladies dites de « civilisation » : cancers, troubles cardio-vasculaires, dépressions nerveuses, se multiplient et atteignent des personnes de plus en plus jeunes dans des proportions qui font penser parfois à une épidémie — cela, dans presque tous les pays industrialisés.

L'industrie pharmaceutique n'a jamais été aussi prospère. Un livre bien anodin donnant la composition de médicaments et leur utilisation a fait scandale parmi les pharmaciens de tel pays européen parce que l'auteur prétendait que la plupart des produits étaient « substituables » et de peu d'utilité. Le scientisme de l'institution médicale exerce autant d'effet sur l'esprit que sur le corps des malades : une enquête a montré que sur cent personnes qui guérissaient à la suite d'un traitement à base de médicaments, soixante-dix avaient avalé sans le savoir des « placebos ». Ces substances, sans la moindre valeur curative, ont été pourtant d'une étonnante efficacité. Nouvel exemple de gaspillage et de supercherie, comme le relève fort justement Orio Giarini avec qui j'ai entrepris une réflexion sur ce sujet, dans le cadre des travaux de l'Institut international d'études sociales.

Les maux de la civilisation industrielle proviennent de deux principes appliqués à la base pour accroître la production et le profit : la concentration et la spécialisation. Concentration des hommes dans les villes, de la production dans de grandes unités, du pouvoir entre peu de mains.

Spécialisation, parcellisation des tâches pour l'ouvrier, prolifération des spécialistes à tous les niveaux. Les sorciers d'aujourd'hui sont ceux qui possèdent le savoir, les ingénieurs, les technocrates au langage hermétique et inaccessible. Par cette

---

(18) Conférence publique à l'IIES en février 1977.

concentration et cette spécialisation les structures de la société se modifient parfois dangereusement (19).

A cette frustration grandissante des sociétés industrielles on peut opposer la richesse profonde de nombre de sociétés d'Afrique et d'Asie où la famille regroupe des individus de plusieurs générations et des collatéraux sous un même toit. Les fous vivent dans le village, sont acceptés et se sentent reconnus. Or dès que l'industrialisation « spécialise » les individus, chaque fois que s'effectue le passage d'une économie d'usage à une économie d'échange, on voit se réduire la famille à sa plus simple expression.

La société d'accumulation dispose en effet d'une extraordinaire faculté de récupération. On voit se multiplier les hôpitaux, maisons de retraite, écoles spécialisées, colonies de vacances, où s'exercent des corps de spécialistes en réintégration sociale (animateurs, assistants sociaux, éducateurs divers). Mais la société elle-même existe-t-elle vraiment ? On peut en effet se demander si l'on n'accumule pas davantage un passif de coûts sociaux et écologiques que de la richesse. Et l'on constate sans peine que l'économie du « tout à jeter » paraît « à bout de souffle ». D'autant que les coûts internes, ceux même de la production, ne cessent d'augmenter et que l'on en arrive à une phase de rendements décroissants de la technologie. Les possibilités d'inventer de nouveaux produits à partir d'une technique donnée s'épuisent.

Plus la chaîne entre recherche fondamentale et utilisation s'allonge et se complique, plus les nouvelles technologies demandent une capacité multidisciplinaire ; plus les coûts de la recherche augmentent, plus inévitablement l'allongement du temps nécessaire aux nouvelles réalisations devient important, même si l'industrie et le public ont fait entre-temps d'énormes progrès dans la capacité d'entrevoir l'utilisation d'une nouvelle recherche. Les spécialistes se demandent si « on n'en est pas arrivé dans plusieurs secteurs à avoir exploité l'essentiel des possibilités ouvertes par l'irruption de la science dans la technologie à partir de la fin du siècle dernier » (20). Ainsi, dans le secteur des grands ordina-

---

(19) C'est en ce sens que Michel Bosquet note : « ... La technique n'est pas neutre : elle reflète et détermine le rapport du producteur au produit, du travailleur au travail, de l'individu au groupe et à la société, de l'homme au milieu ; elle est la matrice des rapports de pouvoir, des rapports sociaux de production et de la division hiérarchique des tâches » *Ecologie et Liberté,* Ed. Galilée, 1977.

(20) Orio Giarini : *Introduction à l'économie du risque et de la sécurité,* document inédit, mars 1976, p. 33.

teurs, IBM a annoncé, en mars 1975, qu'elle mettait un frein aux innovations prévues pour 1976.

Les goulots d'étranglement se multiplient, par exemple dans la fabrication des fibres synthétiques. Il semble ici que l'on ait exploré toutes les possibilités de la transformation des molécules de base. Les fibres non tissées n'ont pas eu la qualité ni le succès escompté ; c'est une perte nette pour l'économie.

D'autre part, la complexité de la production est telle dans certains secteurs que continuer à diversifier les produits comme le demande la concurrence se révèle impossible et non rentable. Alors on réduit la durée de vie des objets. Une automobile, un réfrigérateur, sont conçus pour durer cinq ans. Les matières premières sont ainsi gaspillées pour fabriquer des « gadgets ». Le bois des forêts habille, sous des papiers d'emballage différents des produits identiques...

La perte du patrimoine, la destruction des valeurs d'usage, traduisent une grande vulnérabilité du système économique.

« Enrichissez-vous », proposait Guizot au début de la formidable croissance industrielle. Aujourd'hui on se demande pour qui, pourquoi s'enrichir ? « Riche de biens » signifie souvent « pauvre de sens ».

Un début de contestation...

Cependant, parmi des millions de consommateurs résignés, les voix des mécontents s'élèvent de plus en plus puissantes.

Dans les années soixante, aux Etats-Unis et ailleurs, la contestation a d'abord visé la guerre du Viet-Nam ; de nombreux jeunes gens désertaient, réclamant la paix, la justice et par la même occasion la fin du racisme et du sexisme.

Des petites communautés autogérées ont commencé à naître. Mais depuis s'est produite une évolution. On rapporte par exemple qu'un professeur à l' « Energy Center » de l'université de Floride, Howard Todum, a conquis le droit à la célébrité en déclarant : « En 1973, l'Organisation des pays exportateurs de pétrole a mérité le prix Nobel, car elle a fait plus que toutes les écoles, toutes les universités et tous les dirigeants pour faire comprendre aux habitants des Etats-Unis, de l'Europe occidentale et du Japon qu'ils devaient renoncer à l'économie de gaspillage. » Ce fut un choc en effet pour un monde qui retrouvait le spectre de la pénurie, oublié depuis la fin de la dernière guerre mondiale. Les prévisions du Club de Rome étaient-elles justes ? *Halte à la croissance, L'Utopie ou la mort, Le Festin empoisonné,* autant de cris d'alarme qui continuent de troubler les consciences. A tous les niveaux le débat s'anime. Des groupes de citoyens s'organisent en Amérique, au Japon, en Europe, en Australie et ouvrent les yeux sur les déséconomies, les asservissements, les nuisances relégués par les économistes sous le vocable pudique de « facteurs externes » à la production. Ceux qui luttent contre l'énergie nucléaire ne sont plus des hippies chevelus, mais des hommes d'affaires, des professeurs et des femmes qui pensent à leurs enfants. Ces groupes de pression ont obtenu, en Californie par exemple, que des projets de construction d'autoroutes soient abandonnés et que l'on affecte les crédits au développement de transports en commun et à l'exploitation de sources d'énergie non polluantes. Désormais ce ne sont plus seulement quelques « écologistes rêveurs » qui revendiquent une meilleure qualité de la vie : les forces de contestation s'amplifient, le mécontentement atteint des couches toujours plus larges de la population. L'Américain moyen ne considère plus son mode de vie comme le meilleur du monde. Une enquête rendue publique en 1976 et portant sur 1 497 adultes représentatifs de l'opinion américaine (21) témoigne d'un profond changement d'attitude dans la conscience collective aux Etats-Unis. Le public comprend que pollution et gaspillage sont liés et « très sérieux » pour le pays.

Tout d'abord, on assiste à une inversion des priorités concernant les biens individuels et les services sociaux : alors que 42 % des personnes interrogées estiment qu'il est essentiel de créer chez le consommateur le désir d'acheter de nouveaux produits, 61 % accordent une grande importance à la mise en place de services meilleurs et plus modernes.

D'autre part, plus de 74 % réalisent « qu'en raison de leur niveau élevé de consommation les matières premières et les produits deviennent plus rares et plus chers », saisissant ainsi la relation entre la quantité de produits utilisés et l'inflation continuelle.

Il en résulte une prise de conscience significative puisque 61,2 % des Américains considèrent qu'il est « moralement mauvais que leur pays, qui compte 6 % de la population mondiale, consomme 40 % de la production d'énergie et de matières premières ».

---

(21) *The Harris Survey,* décembre 1975.

Pour 55,3 % des personnes interrogées, cette disparité entre population et consommation « blesse le bien-être du reste du monde » et pour 50,3 %, celui-ci « se retournera contre les Américains » si la distribution des ressources naturelles demeure toujours aussi inégalitaire.

Plus de 90 % — soit la quasi-unanimité — envisagent alors un changement d'attitude : « Nous devons, disent-ils, trouver ici, dans notre pays, les moyens de couper court à l'accumulation des choses que nous consommons et jetons », et, fait plus étonnant encore, ils sentent la nécessité d'une réduction contrôlée de leur niveau de vie.

C'est pourquoi 77,8 % des personnes interrogées optent pour un style de vie très différent, où l'on cesserait de nourrir les animaux avec de la viande de bœuf, de renouveler son vestiaire chaque année selon les modes et où l'on garderait les voitures jusqu'à 100 000 miles. Afin de réduire le coût du logement, 66,3 % accepteraient même qu'il y ait moins de résidences secondaires et que l'on vive dans des appartements à unités multiples plutôt que dans des maisons particulières.

La course aux armements et... la mort oubliée !

La contestation a trouvé un domaine bien plus décisif, plein d'avenir, mais d'efficacité encore limitée : la dénonciation de la course aux armements.

Nous arrivons ici à une référence essentielle pour notre analyse. A sa manière, Raymond Aron le souligne parfaitement dans son livre *Paix et Guerre entre les nations* quand il écrit :

> « La pauvreté de toutes les sociétés connues depuis l'aube des civilisations, l'inégale distribution des richesses à l'intérieur des collectivités et entre elles, l'énormité des richesses saisissables par la violence en comparaison des richesses produites par le travail, tous ces faits ont constitué, en permanence, la condition structurelle des conflits entre les classes ou entre les Etats ; ils font apparaître rétrospectivement rationnelles les guerres de conquête. »

Les sociétés de richesse sont ainsi contraintes de s'ériger en sociétés de polices puissantes. Elles partagent un tel sort avec les sociétés qui ont déifié le pouvoir et craignent de le perdre. Limiter l'accumulation et ne pas tenir au pouvoir, c'est limiter du même coup ces luttes sourdes ou ouvertes, vaines de toute façon, dont le ressort se situe dans la tenace insécurité des uns et dans la frustration sans limite des autres.

Prenons encore le temps d'écouter Porgy :

> « De folks wid plenty o'plenty
> Got to pray all de day.
> Seems wid plenty you sure got to worry
> How to keep de debble away... » (22).

Le modèle de la société industrielle avancée, bien qu'il soit parfois dénoncé par ses propres membres, conduit à des situations qui atteignent un degré d'immense tragédie. La course aux armements est en effet un corollaire direct de la société de richesse non solidaire et de pouvoir non partagé. Les pays s'arment et se battent à l'intérieur et à l'extérieur de leurs frontières contre les envies de ceux qui réclament une autre distribution des biens, contre ceux qui réclament plus d'égalité, de participation, de liberté.

La contestation d'une richesse qui aboutit à l'anéantissement amène à découvrir la pauvreté qui, elle, permet de retrouver la vraie vie et donc aussi, puisque c'est dans la nature des choses, une mort humainement assumée ; *Fugit, irreparabile tempus,* avait prévenu Virgile.

C'est en effet toujours dans un cimetière, au pied d'une tombe, que le mot « vanité » prend un sens et celui de « pauvreté » tout son relief. Festugière nous le rappelle de la façon la plus saisissante :

> « L'une après l'autre, chaque génération naît, mange, boit, s'accouple, engendre, se hausse un peu, fait quelque bruit peut-être, se déchire, puis meurt et tout est dit... Viendra un jour où cette moisissure que nous formons à la surface de la terre ne sera même plus un songe... De toute l'histoire des hommes, de nos amours et de nos haines, de nos pauvres désirs de durée, de nos souffrances pour le bien, de la patience des vieillards, des larmes de l'enfant dans la nuit, rien, rien ne restera... Encore un coup, de vous, de moi, il ne restera rien (23). »

---

(22) Les gens pleins de richesses de toutes sortes
Doivent vraiment prier tout le jour
Pour sûr, si vous regorgez de richesses
Vous serez accablés de soucis
Cherchant à tenir le diable éloigné...

(23) Dans *L'Enfant d'Agrigente,* par A.-J. Festugière, Paris, Editions du Cerf.

J'ajoute pour compléter mon accord « il ne restera rien... *ici* ».

Mais une telle sagesse est de courte durée. Nous sommes ainsi faits : ce qui un instant nous émeut s'envole comme éther dès que l' « animalité » a repris le dessus. « Ce n'est plus une ardeur dans mes veines cachées »...

Les diables de tous les temps — qu'ils aient nom Mercure (celui des trafiquants) ou Mammon — ces diables nous tiennent, proies sans défense et presque sans raison. Subjugués par eux nous sommes fascinés par l'argent, la puissance et la jouissance. L'idée même de la mort devient parfois un psychotrope pour davantage de possession.

Je ne m'en prendrai pas aux grandes dépenses pour les obsèques, les funérailles, les « pompes funèbres »... Après tout, dit-on en pays Yoruba, « si l'on n'a pas choisi de respecter les vivants, on peut — à tout le moins — honorer les défunts ».

Il est bien plus préoccupant d'entendre une jeune héritière, empressée, tendue, malade d'argent, lancer ce cri du cœur : « C'est la vente des biens de maman qui m'intéresse ! »

Voilà le problème réel. Et il est partout où la mort n'a pas ce rôle de régulateur de solidarité qui fait du défunt un lien permanent dans l'ensemble familial (24).

Lorsque Alex Haley, recherchant ses « racines » africaines de Négro-Américain, entreprit de faire revivre la Gambie de ses origines, c'est aussi à la mort comme agent de solidarité qu'il voulut se référer. La scène qui décrit la disparition de Yaïssa, la grand-mère du petit Kounta, est digne de mention, mais surtout la leçon qu'en tire Omoro, le père du gamin éploré :

« Pendant de longs jours, écrit Haley, Kounta ne put ni manger, ni dormir, ni se joindre aux camarades de son kafo (25). Il avait tant de chagrin qu'un soir Omoro l'emmena dans sa case, lui parla plus doucement qu'il ne l'avait jamais fait ; il lui dit des choses qui l'aidèrent à soulager sa peine. Il lui dit qu'il y avait dans le village trois groupes de gens. En premier, ceux qu'on voit : ils marchent, ils mangent, ils dorment, ils travaillent. Viennent en second les ancêtres. Grand-mère Yaïssa était maintenant avec eux. « Et les troisièmes, qui sont-ils ? demanda

---

(24) Régulateur de solidarité, car le mort continue encore à agir et à communiquer sa « vertu » à ses descendants, et il reste un exemple de vie que les siens ont le devoir de reproduire.

(25) Kafo : groupe d'enfants du même âge.

Kounta. — Ceux-là, répondit Omoro, ils attendent de venir au monde... »

On comprend la passion de Haley à rechercher ses origines lorsque l'on compare cette solidarité des générations à la société d'accaparement et d'isolement dans laquelle tant de Noirs américains disent se retrouver aujourd'hui...

Revenant précisément d'Amérique, Myriam Makeba a consacré une chanson satirique à cette veuve qui continuait de danser dans les bras de son amant, malgré l'annonce du décès de son malheureux époux, et se réveille seulement de son état second en apprenant que le testament du défunt allait être rendu public...

Ecouter et observer...

On marquera peut-être quelque surprise à l'importance que j'accorde ici à la chanson populaire. Je pense en effet que, comme l'écriture, le chant exprime souvent en des accents imagés la quête ou la plénitude, le désarroi de la solitude ou la joie des communautés vivantes, et je rejoins ici Jacques Attali quand il écrit :

> « ... le monde ne se regarde pas, il s'entend. Il ne se lit pas, il s'écoute... Rien ne se passe d'essentiel où le bruit ne soit présent... Alors, il faut apprendre à juger une société sur ses bruits, sur son art et sur sa fête plus que sur ses statistiques (26). »

Le théâtre antique privilégiait les chœurs qui permettaient au peuple de participer à l'événement. *L'Hirondelle,* chanson de Rhodes, invitait déjà Grecs et Romains au dépouillement.

Aujourd'hui, la jeunesse nous offre encore cette chance de fraîcheur nécessaire. Lorsqu'ils ne répandent pas des sentiments stéréotypés ou des rêves propices aux fausses évasions, les disques que nos enfants rapportent de leurs écoles laissent échapper des notes de vérité.

C'est par exemple Serge Lama, relevant le paradoxe de ces riches frustrés qui recherchent la sécurité dans « nos mansardes privées d'ascenseurs ».

C'est aussi Guy Béart — persuasif — faisant toucher du doigt que tout va, change, a déjà changé, puisque « les enfants de

---

(26) *Bruits,* Jacques Attali, Ed. Presses universitaires de France, 1977, p. 7.

bourgeois jouent à la misère, à la vie dure, à la commune, à la révolte » et que parfois « ces marmots, en jouant avec les mots, vont casser de nos chaînes quelques anneaux ». Tout change, puisque les « enfants, messagers d'étincelles, proclament que la terre entière est le Messie ».

La terre entière...

Je rapporte d'un récent voyage en Chine un souvenir qui me poursuit.

Si l'on visite Pékin, ce n'est pas une cité indigente ou misérable que l'on traverse. Pékin sans doute affiche l'austérité. Les habitants n'y circulent pas en voiture (la notion de voiture particulière n'a pas d'équivalent en chinois....), mais la vie n'y paraît pas désagréable. On éprouve, je crois, la même impression que François Perroux visitant Moscou, il y a déjà pas mal d'années. Et l'on peut observer que Pékin aussi, par son extérieur, fait penser à une société chrétienne où l'on aurait enfin pris au sérieux les articles essentiels de la foi et de la morale.

« Notre Eglise, écrit Perroux, n'a jamais recommandé ni le luxe privé, ni la surabondance des biens superflus, ni la différenciation délicate des biens de consommation lorsque les besoins élémentaires de la multitude ne sont pas satisfaits. »

Je ne dis pas pour cela qu'il existe un modèle chinois. La Chine a ses problèmes qu'elle résout à sa manière et, puisque j'ai lu le récent ouvrage de Broyelle et Tschirhart (27), j'avoue que je me pose quelques questions...

Cela n'empêche pas qu'aujourd'hui, à mes yeux, la société chinoise, même marquée du « pragmatisme » de Teng Tsiao Ping, paraît encore vivre la pauvreté comme ici je la définis. Et nous nous retrouvons au carrefour des mêmes sources, les *Sources* d'Alphonse Gratry où je lis que « la pauvreté n'est ni la misère ni l'indigence. C'est la vie quotidienne conquise par le travail. C'est une chose sacrée qu'il faut respecter, estimer et rechercher. »

Changer de cap

Cette pauvreté observée en Chine, elle émerge, à l'état de projet, dans les sociétés occidentales. Ainsi, Enrico Berlinguer déclarait récemment :

---

(27) Claudie-Jacques Broyelle, Evelyne Tschirhart, *Deuxième retour de Chine*, Paris, Editions du Seuil, 1977.

« L'austérité n'est pas aujourd'hui un simple instrument de politique conjoncturelle visant à surmonter des difficultés économiques transitoires, pour permettre la reprise et le rétablissement des vieux mécanismes économiques et sociaux... Pour nous, l'austérité c'est le moyen pour attaquer à la racine un système qui est entré dans une crise structurelle et pour poser les bases de son dépassement. »

De partout donc déferle la contestation de la richesse sauvage et des privilèges qu'elle engendre. Tout exprime la destination universelle des biens. Pourquoi le « tiers monde » s'accrocherait-il à un modèle devenu caduc et parfois même objectivement néfaste ? Le développement, après tout, n'est-ce pas un effort de soi sur soi, effort qui s'appuie sur l'environnement naturel pour arriver à couvrir les besoins essentiels au niveau de la famille et — par la solidarité — au niveau du groupe ?

Le développement ainsi compris n'a vraiment besoin d'aucun modèle. Mais ce n'est pas le chemin que nous prenons.

Tournant le dos à notre histoire et à notre géographie, à nos arts, à notre habileté, nous refusons notre croissance à partir de notre être et de nos ressources. Préférant l' « immédiat » de quelques-uns au « moyen terme » de tous, nous choisissons d'élargir épisodiquement le petit cercle des privilégiés et continuons d'étouffer les énergies du plus grand nombre.

Nous ne sommes point honorés, par exemple, comme le dénonce Sembène Ousmane, que des milliers d'hommes ne puissent même pas disposer d'une jarre-filtre pour l'eau potable alors que certains emplissent d'eau minérale, importée d'Europe, le radiateur de leur voiture sous le fallacieux prétexte de ne pas l'encrasser.

L'argent, devenu notre maître, nous dicte toutes nos extravagances, toutes nos faiblesses, tous nos abus.

A cause de l'argent qu'il nous faut *à tout prix,* nous nous mettons en danger de n'avoir plus de culture authentique, plus de liberté, plus de respect pour rien, plus de famille.

Verrès et Catilina surgissent de partout et il n'est pas de Cicéron pour dénoncer les scandales qui s'accumulent. Ici et là, de par les continents — suggère-t-on à « Amnesty International » —, c'est Néron qui s'installe, plus arrogant que jamais. Voici l'heure des martyrs. Eux seuls, désormais, accompliront le miracle.

Pessimisme injustifié... Affirmations gratuites, me direz-vous !

Ce serait juste et vrai si je ne pouvais administrer la preuve de notre déraison.

Hélas ! nous marchons la tête en bas... et cela est évident. Bairoch a écrit : *Le tiers monde dans l'impasse*. Dumont l'avait précédé : *L'Afrique noire est mal partie*.

Toujours nous sommes restés sourds.

Jusques à quand ?

CHAPITRE II

LA TÊTE EN BAS OU LA DÉRAISON DU MIMÉTISME

« Fari, hi han !
Fari, hi han !
Fari est une ânesse...
Où donc est Fari la reine des ânes qui émigra... et n'est pas revenue ? »

Chanson populaire citée dans *Les contes d'Amadou Koumba* (Birago Diop).

« Il est temps de mettre à la raison ces nègres qui croient que la révolution, ça consiste à chasser le Blanc et continuer en lieu et place, je veux dire sur le dos du nègre, à faire le Blanc. »

(Aimé Césaire : *La Tragédie du roi Christophe.*)

Tous ceux qui accomplissent des missions officielles au nom de quelque gouvernement ou d'une organisation internationale savent combien généreux est l'accueil dans la plupart des pays en voie de développement qu'ils visitent. Je partage bien entendu ce sentiment. Néanmoins, je suis parfois absolument gêné et confondu lorsque la générosité de l'accueil prend l'allure d'une ostentation et d'un snobisme hors de propos. Il est ainsi devenu coutumier de se voir offrir régulièrement, dans tel pays tropical, non seulement par des gens « fortunés » mais aussi par d'autres de condition pourtant moyenne, du champagne frais « spécialement importé d'Europe par avion » (1), alors qu'une tasse de

(1) Les abus en ce domaine sont tels que le gouvernement du Nigeria par exemple a récemment pris un décret interdisant l'importation du champagne. Cela ne paraît pas avoir dérangé les habitudes de certains qui savent fort bien « se débrouiller ».

thé ou de café, un verre de jus d'orange ou d'ananas comblerait d'aise le visiteur.

Le piège des « bonnes » manières...

Cette anecdote montre que la situation de dépendance crée — lorsqu'elle se prolonge — des réflexes pervers.

Les manières de celui qui exerce le pouvoir deviennent des normes car, s'il a réussi à s'imposer, c'est qu'il existe en lui, probablement, quelque chose de particulier qui le situe au-dessus des autres et qui les subjugue.

Même si je n'accepte pas ma dépendance, je suis porté à reconnaître cette puissance et à désirer l'exercer un jour dans tous ses attributs pour mon propre compte.

Voilà le piège dans lequel nous sommes tombés. Nous avons été *impressionnés* par ceux qui nous gouvernaient. Les facilités qu'ils prenaient avec tout ont fini par nous séduire... En outre, c'est formellement par « transfert de compétences » que certaines indépendances furent proclamées.

« Transfert de compétences », ou plus précisément transfert des formes de pouvoir, suggère « transfert » d'attitudes et de comportements. Le mimétisme s'est ainsi étendu aux structures et schémas de l'organisation politique et sociale.

Sûrs de nous, ingénument, nous avons, en logique pure, obéi à un syllogisme sans faille. Je corrige. Nous nous sommes laissé prendre dans l'engrenage d'un polysyllogisme rigoureux comme le destin. Voici comment on peut l'énoncer :

Tous les pays indépendants du monde entier ont à leur tête un président qui dirige un gouvernement composé de vingt à trente ministres. Tous disposent d'ambassades à l'étranger, occupent un siège à l'ONU, s'appuient sur une police rigoureuse, une armée équipée de tanks et de « Mirages ». Tous établissent des universités nationales, des compagnies nationales d'aviation. Tous expriment leur souveraineté par un drapeau et un hymne national.

Or la République démocratique du Kilimandjaro vient d'être proclamée Etat souverain et indépendant.

Donc la République démocratique du Kilimandjaro doit avoir un drapeau, une armée, une université, etc.

Je poursuis le raisonnement.

Tous les dirigeants politiques de tous les pays indépendants du monde habitent des palais bien gardés, circulent en limousine noire précédée et suivie de motards, disposent de fonds secrets, de nombreuses résidences secondaires à travers le monde, etc.

Or le suffrage populaire vient de désigner les dirigeants politiques du Kilimandjaro.

Donc les dirigeants politiques du Kilimandjaro doivent circuler en limousine noire précédée et suivie de motards, etc.

On peut poursuivre le raisonnement et nous avons :

Tous les ambassadeurs, tous les parlementaires, les généraux, les directeurs généraux, les chefs religieux, les idéologues ; toutes les premières dames de tous les pays indépendants, sont, disent, font...

Or le Kilimandjaro...

Donc le Kilimandjaro...

Arrêtons maintenant ce petit jeu. J'ai caricaturé certes, mais vraiment pas beaucoup, et le lecteur aura perçu ma préoccupation de faire toucher du doigt une réalité : nous baignons dans un sophisme qui nous égare tant ses répercussions se révèlent profondes et tentaculaires.

Ceux qui ont lu *Le Lion et la Perle,* du dramaturge nigérian Wole Soyinka, se souviennent sans doute du jeune instituteur Lakounlé, représentant authentique de ce mimétisme, qui promet à Sidi, sa fiancée : « Je t'enseignerai la valse, nous apprendrons ensemble le fox-trot et nous passerons nos week-ends dans les night-clubs d'Ibadan. »

C'est exactement ce que dénonçait Labiche lorsque, dans *La Poudre aux yeux,* il tire la leçon qui nous concerne encore :

> « Pour faire de l'embarras, du genre, du flafla ! Aujourd'hui c'est la mode. On se jette de la poudre aux yeux. On fait la roue. On se gonfle comme des ballons. Et quand on est tout bouffi de vanité, plutôt que d'en convenir, plutôt que de se dire : « Nous sommes deux braves gens bien simples », on préfère sacrifier l'avenir, le bonheur de ses enfants (2). »

Sacrifier l'avenir... Nous voici au cœur du sujet.

Il n'est pas juste de dire ou de suggérer que les dirigeants des communautés nationales du tiers monde ne recherchent pas l'efficacité dans leurs actions de développement. Au contraire, tous veulent le développement. Ils le veulent d'autant plus qu'ils souhaitent laisser après eux une œuvre qui ait un sens et qui les justifie.

---

(2) Acte II, scène 13.

Freud a identifié le narcissisme comme étant un facteur capital du comportement humain : ses multiples expressions dans les effets d'ostentation sont une manière de souligner l'existence et l'importance de l'individu.

En favorisant un « développement » conçu comme le budget le plus colossal, la technologie la plus avancée, la capitale la plus brillante, on veut valider un narcissisme national. Ce n'est pas refus des autres dimensions du développement. C'est une propension à évacuer les priorités.

Une brève analyse des conséquences d'une telle attitude peut s'appliquer à des domaines comme la culture et l'éducation, l'économie rurale, l'industrie et l'urbanisation. Il apparaîtra que tout cela accroît la dépendance, ne signifie rien qui honore la raison et nous conduit à l'impasse — inventons le mot — du « contre-développement » (3).

La culture, épiphénomène du développement ?

En 1958, à la première conférence des écrivains afro-asiatiques, réunie à Tachkent, dans l'Ouzbékistan soviétique, je représentais, avec Sembène Ousmane et quelques autres, la Société africaine de culture, et nous tentions de jeter les bases d'une vie culturelle autonome de nos peuples.

Plus tard, ministre de l'Information de mon pays aux premiers mois de son indépendance, j'eus l'expérience de l'action et je suis en mesure de témoigner que lorsqu'un pays devient indépendant, l'appréhension de sa situation culturelle est malheureusement laissée pour « plus tard ». Il y a tant de choses qui pressent. Les grandes décisions sont politiques, économiques et sociales. Elles sont aussi d'affirmation de soi par un protocole savant et bien mis au point. On vit dans l'illusion d'être maître de ses choix. Il s'agit de produire, de vendre dans un monde moderne auquel on croit devoir appartenir et dans lequel on espère avoir un rôle à jouer. Pour cela, il faut se faire accepter de ce monde, et donc se présenter à lui comme il convient.

Voici par exemple bientôt vingt ans que la majorité des pays

(3) Il y a selon moi *contre-développement* lorsqu'un pays qui dispose de moyens — même modestes — pour prendre en charge les besoins essentiels de son peuple les détourne au profit d'objectifs non prioritaires, antisociaux, renforçant ainsi des privilèges minoritaires.

indépendants d'Afrique sont apparus sur la scène internationale. Oserai-je le dire ? Le problème de leur identité culturelle demeure posé presque sans changement. De temps en temps, quelques coups de chapeau sont envoyés à l' « authenticité » et à la désaliénation, mais les mentalités demeurent durablement colonisées.

La raison en est que le capitalisme marchand nous a fortement intégrés dans un circuit que nous n'avons pas encore rompu. Et si nous voulons assurer avec lui l'échange minimum, les termes du dialogue doivent correspondre aux règles admises.

La notion de valeur d'échange contre celle de valeur d'usage prend ici tout son sens. L'échange marchand oblige à s'aliéner au partenaire et la valeur d'échange tue la valeur d'usage.

La valeur d'usage serait normalement une prime aux langues africaines effectivement utilisées dans la vie quotidienne et qui expriment préoccupations, sagesse, sentiments (4).

La valeur d'échange l'emporte puisque l'économie extravertie commande des liens avec la « Métropole », avec le « Centre », pour reprendre les termes de Samir Amin. Systèmes monétaires et systèmes métriques, circuits de production et modèles de consommation, tout se trouve ordonné à la valeur d'échange et accaparé par elle. Un échange inégal comme chacun sait. Ce que l'on perçoit moins, c'est l'influence de tout cela sur la culture authentique des peuples. Si l'Europe s'américanise, c'est dans le langage qu'on le constate d'abord. Le « snack », le « self-service », le « drug-store », le « tee-shirt », le « hit parade », ne sont pas seulement des néologismes. Ils indiquent une influence culturelle et une présence puissante dans la vie de chaque jour.

« Maison de l'être », selon l'expression de J. Berque, la langue est une donnée de base, un fondement vital pour toute politique de construction nationale. S'il est vrai que les langues étrangères nous donnent sans doute accès à de grands trésors de culture, dès le moment où elles ne sont plus « étrangères » et se transforment en langues nationales, elles donnent à autrui, comme le relève Joseph Ki-Zerbo, « la clé des trésors de notre esprit » (5). Elles deviennent alors un véhicule de domination et elles sont le meilleur représentant de commerce possible, nous transformant en clients des produits de tous genres que l'étranger nous

---

(4) Se référer notamment à l'article d'Yves Person dans *Jeune Afrique*, n° 853 du 13 mai 1977.

(5) « Culture et développement », conférence publique, Institut international d'études sociales, Genève, novembre 1976.

envoie avec des modes d'emploi que désormais nous savons lire.

La force du Japon, dans l'ensemble occidental, se situe d'abord dans sa résistance profonde et, selon moi, quasi définitive, à toute assimilation culturelle durable. Un bref séjour à Tokyo nous apprend rapidement que, malgré les gratte-ciel et les hôtels à l'américaine, la culture japonaise est une valeur d'usage pour tous et un élément essentiel des termes de l'échange. Chacun est contraint non seulement d'acheter « japonais », mais, s'il désire entrer dans le circuit commercial, il doit accepter que la culture nationale revoie et corrige les inventions, les productions et leur présentation au public du pays. A cette condition seulement, l'échange est possible.

Que le capitalisme japonais soit aussi dévorant que les autres, c'est vraisemblable. On peut même craindre que le citoyen japonais ne soit soumis à une ambivalence permanente entre sa vie productive et sa vie socio-culturelle. Mais ici mon propos était seulement de faire voir comment les Japonais ont su allier leur culture authentique à la vitalité économique.

Le chemin que nous prenons, nous, dans la majorité des cas, aboutit à l'impasse culturelle et ne garantit pas le développement économique. Lorsque, ainsi que le rapporte encore Joseph Ki-Zerbo, « dans des pays analphabètes à 80 ou 90 %, l'administration est fondée uniquement sur les écrits, sur le papier, comme dit le paysan, cartes d'identité, reçus d'impôt, etc., lorsque la loi électorale réserve l'éligibilité à ceux qui savent lire et écrire en français », la langue étrangère devient « un bien de production utilisé pour le développement privilégié d'une classe minoritaire et mandarinale ».

Rien ne paraît avoir beaucoup changé depuis le temps du décret colonial : « L'enseignement doit se faire en français. L'emploi des dialectes locaux est interdit dans les écoles privées aussi bien que publiques. » Bernard Dadié raconte dans son roman *Climbie* comment, jeune élève de l'école étrangère, il a réagi au règlement interdisant l'usage de sa langue maternelle, même pour parler à d'autres élèves : ceux qui enfreignaient cette interdiction étaient punis et devaient se charger du balayage et du nettoyage de l'école.

Certes, le fameux « Nos ancêtres les Gaulois » a finalement disparu de l'arsenal des critiques faciles en disparaissant de nos livres d'histoire. Mais ici et là, dans nos prétoires, nos magistrats continuent de rendre la justice avec l'assistance d'interprètes, comme naguère au temps des colonies. Et il faut bien reconnaître que l'inexistence de langues autochtones écrites comme d'une littérature générale, scientifique et technique rend dans plusieurs pays la situation presque désespérée. Car ce qu'il faut surtout, dit-on, c'est échanger avec les autres — immédiatement — dans les langues *maintenant* disponibles. L'argument paraît sans réplique. Pourtant on peut concevoir un effort d'enrichissement et de transcription des langues autochtones qui, inséré dans une politique globale de développement *endogène*, serait à même de favoriser l'ouverture au progrès dans le respect de l'identité culturelle.

C'est pourquoi je persiste à penser qu'en acceptant, par héritage colonial, l'utilisation incontrôlée des langues étrangères on s'est engagé dans la voie d'un assassinat culturel qui favorise une sujétion permanente à un modèle économique aliénant.

Nous sommes bien dans la situation que décrit Sylvain Bemba dans *Tarentelle noire et diable blanc*, où il met en scène de jeunes Noirs qui vendent leur âme au diable blanc, Faustino, pour avoir le droit de grimper au mât de cocagne où sont accrochés des produits manufacturés. Personne n'arrive au sommet et tous s'épuisent.

Transfert ou échange ?

Un tel schéma de pensée et de comportement explique que l'on parle aujourd'hui de « transfert de technologie » et de « division internationale du travail ».

Renan, dans sa *Réforme intellectuelle et morale*, avait déjà mis en avant une bien triste division internationale du travail :

« Le Chinois à l'usine, l'Arabe et le nègre aux champs, les « autres » dans les nobles arts de la cape et de l'épée (6). »

(6) « ... La nature a fait une race d'ouvriers, c'est la race chinoise, d'une dextérité de main merveilleuse sans presque aucun sentiment d'honneur ; gouvernez-la avec justice, en prélevant d'elle, pour le bienfait d'un tel gouvernement, un ample douaire au profit de la race conquérante, elle sera satisfaite ; une race de travailleurs de la terre, c'est le nègre ; soyez pour lui bon et humain, et tout sera dans l'ordre ; une race de maîtres et de soldats, c'est la race européenne. Réduisez cette noble race à travailler dans l'ergastule comme des nègres et des Chinois, elle se révolte. Tout révolté est chez nous, plus ou moins, un soldat qui a manqué sa vocation, un être fait pour la vie héroïque, et que vous appliquez à *une besogne contraire à sa race*, mauvais ouvrier, trop bon

Il semble que nous ayons accepté comme une fatalité de nous classer dans ces rôles déjà déterminés d'avance par les plus forts en reléguant nos cultures dans la marginalité et le folklore. Nous avons ainsi donné une légitimation à une division du travail qui nous refuse le droit de participer de façon spécifique au développement global d'un monde solidaire, par une autonomie régionale nettement affirmée. La culture « régionalisée », le swahili et le yoruba étendus, le bambara promu, n'y a-t-il pas là de quoi permettre les métissages culturels vivifiants qui n'empêchent nullement l'usage de langues étrangères pour des besoins spécifiques et un enrichissement plus général ?

Quant au « transfert de technologie », il suppose le déplacement sans compensation et constitue à mes yeux une grave ambiguïté. Loin de moi l'idée de nier la valeur des transferts de technologie qui ont pu s'opérer à travers l'histoire des hommes. Ce n'est pas de cela qu'il s'agit ici. Le concept actuel est plus complexe, plus pernicieux dans l'optique de ce pacte colonial qui nous régit encore sans dire son nom. Il suppose que la technologie a une métropole, une capitale, un lieu d'habitat privilégié d'où elle est transférée vers des « périphéries » dans des conditions qu'il faut continuer à surveiller.

Or j'ai la naïveté de prétendre que c'est d'échange technologique que nous devons parler, que tout transfert de technologie doit s'insérer dans un acquis préalable, que la capacité technique autonome de chaque partenaire assure l'harmonie de l'échange. Je voudrais que chacun soit persuadé qu'il n'y a pas au départ table rase technologique dans les pays du tiers monde, et qu'il faut veiller à cette chose essentielle : dès qu'une technologie en élimine une autre ou constitue un apport *ex nihilo,* il y a danger d'installer un empire, je précise : un pouvoir impérial extérieur.

La querelle — car il y a querelle — pour une technologie plus culturelle, c'est-à-dire assumée et vécue comme expression de notre propre culture, nous conduit à nous interroger sur la for-

---

soldat. Or la vie qui révolte nos travailleurs rendrait heureux un Chinois, un fellah, êtres qui ne sont nullement militaires. *Que chacun fasse ce pour quoi il est fait, et tout ira bien.* » (Ernest Renan, *La Réforme intellectuelle et morale,* Œuvres complètes, Ed. Calmann-Lévy, 1947, p. 390-391.)

On comprend mieux dès lors que dans certains pays d'Europe, par exemple, il est des emplois que tout chômeur exclut d'avance de son horizon et qui reviennent d'office à des catégories de travailleurs immigrés.

mation actuelle de nos hommes de science. Ma carrière — même brève — d'enseignant m'incline à rechercher, au cours de mes déplacements, le contact avec les écoles, lycées, centres d'études supérieures. Et je suis toujours effaré de constater que dans de nombreux pays du tiers monde des cadres potentiels, formés non plus à l'époque coloniale, mais actuellement, en ce temps de souverainetés pourtant jalouses, connaissent encore mieux le mistral que l'harmattan, passent de longues heures à l'étude du relief karstique et restent presque ignorants des problèmes posés par l'érosion, la pédologie tropicale ou le processus de latéritisation.

Services coûteux et gaspillage des hommes

Lorsqu'il s'agit des médecins — en nombre malheureusement réduit — les réalités expérimentées auraient dû féconder davantage leurs connaissances pour une efficacité plus étendue. Je m'explique. Le 7 avril 1977, à l'occasion de la journée mondiale de la santé, le Dr Mahler, directeur général de l'OMS, a rappelé que plus de 80 millions d'enfants naissent chaque année dans les pays en voie de développement. Or, *toutes facilités médicales « modernes » réunies,* à peine quatre millions d'entre eux peuvent être vaccinés contre les maladies contagieuses courantes de l'enfance et plus de cinq millions meurent en bas âge.

Aucune politique de développement ne peut réussir si demeurent et s'étendent des maux qui s'appellent : malnutrition, bilharziose, onchocercose, etc.

L'infrastructure sanitaire que nous avons choisi d'installer en imitant des situations dont nous n'avons ni les moyens ni peut-être le besoin aggrave les inégalités, marginalise le plus grand nombre. Le coût de la santé d'un de nos citadins, fonctionnaire d'Etat par exemple, est sans nul rapport avec les ressources budgétaires de son pays. En fait, aucun chiffre ne pourrait l'indiquer avec décence si l'on y ajoutait les évacuations et « rapatriements sanitaires » *(sic)* décidés sans doute pour de bonnes raisons, mais qui gonflent les dépenses à titre curatif au détriment de celles à titre préventif dont ont besoin les plus nécessiteux. Qu'en est-il donc de nos pharmacopées, celles qui permettent de soigner en Chine et ailleurs des millions d'individus des villes comme des campagnes ?

Le caractère cumulatif des cercles vicieux dans lesquels nous sommes pris se précise lorsqu'on mesure en effet l'importance des moyens financiers qu'il faut mettre en œuvre pour soutenir une politique de mimétisme.

Si nous restons dans le domaine de la formation, il est connu que bien des pays en voie de développement dépensent plus de 25 % de leur budget pour l'éducation. Mais, bien souvent, c'est seulement pour atteindre 10 à 12 % de la population scolarisable.

Les choses étant ce qu'elles sont, peut-on vraiment, dans un pays dont le revenu annuel par tête d'habitant se situe autour de 100 dollars, offrir les mêmes structures d'enseignement sous toutes leurs formes (et leurs fantaisies) que dans des pays au revenu dix fois plus élevé ?

Il s'agit donc d'opérations au coût mathématiquement prohibitif, quand on veut bien ne pas oublier que les écoles restent divorcées des possibilités d'emploi et deviennent des usines à créer des chômeurs.

Si, malgré les défauts de la formation, les hommes qui ont si chèrement acquis des connaissances étaient positivement mis au travail, on garderait l'espoir du changement profond qu'attendent les peuples. Mais les conflits de générations, les luttes idéologiques, les guerres tribales, discrètes ou ouvertes, les oppositions politiques ou de clans, toutes sortes d'aberrations, conduisent à des tragédies irréparables s'exprimant dans ces prisons remplies d'hommes qui sont un potentiel de vie et de créativité pour l'économie et la société. Je veux rappeler ici mon ami Outel Bono (7) et dire l'horreur des exécutions sommaires qui à la fois représentent la pire des atteintes aux droits de l'homme et privent les pays du tiers monde des ressources les plus précieuses pour leur développement.

Qu'il s'agisse en effet d'Outel Bono, au Tchad, et de tant d'autres ailleurs, tous ces complots qui finissent par des condamnations à mort, et parfois des exécution capitales, sont autant de retards que l'on fait prendre à la collectivité sous prétexte d'assurance politique. La seule assurance qui vaille peut-

---

(7) Le Dr Outel Bono, formé à l'université de Toulouse, a été pendant longtemps l'un des rares médecins originaires de son pays, le Tchad. Sa compétence et son dévouement étaient exemplaires. Sa conscience patriotique aussi. Il fut mystérieusement assassiné à Paris en août 1973, quelques mois avant le coup d'Etat qui renversa M. Tombalbaye, dont il était un adversaire politique.

elle se situer hors de la raison ? Et la raison veut-elle que l'on règne sur des cimetières ?

Il est vrai que l'assistance technique étrangère permet de résoudre momentanément des problèmes que le manque de cadres nationaux pose à de nombreux pays... Je voudrais ici relever la noblesse de toute manifestation de solidarité quand elle s'adresse à un peuple qui a décidé de résoudre les problèmes qui se posent à lui par ses moyens propres et grâce à l'appui des amis qui se mettent à son service pour une période donnée. « Frères sans frontières », les hommes qui se consacrent à une *vraie* tâche de coopération et de solidarité méritent l'admiration et constituent un exemple nécessaire.

Mais je distingue bien cette solidarité de l'entreprise qu'est devenue, sous sa forme actuelle, l' « assistance technique » à l'égard de laquelle j'émets de sérieuses réserves.

Récemment j'étais l'hôte d'une assemblée d'étudiants du tiers monde. Deux cents jeunes gens, de vingt-cinq à trente ans, préparant des diplômes d'ingénieurs, de médecins, d'agronomes, d'administrateurs civils, étaient là réunis et discutaient de leur avenir. Je n'ai jamais entendu de propos aussi tranchés, aussi bouleversants. Ils témoignent d'une attitude générale sur la question de l'assistance technique. J'en rapporte ici quelques-uns :

« Je ne crois pas à l'armée des « experts » qui ne peuvent s'intégrer chez eux dans aucun poste de travail et qui résolvent leurs problèmes d'emploi grâce aux pays sous-développés. »

« Je doute des motivations réelles de gens qui partent « en coopération » pour s'éloigner de problèmes personnels, conjugaux ou familiaux, difficiles à appréhender dans leur environnement social normal. Certains de ces « coopérants », tels des touristes de Mombassa ou de Banjul, animent avec succès le marché grouillant des désordres sexuels les plus inédits dans nos sociétés. »

« Je refuse l'histoire des équipements achetés avec l'argent de la coopération. Elle facilite d'abord l'écoulement des productions industrielles des pays " développés ". »

« Je n'accepte pas les dons qui finissent par créer chez nous des goûts de consommation que nous sommes incapables de satisfaire par notre propre travail et dans notre propre environnement. »

« Je m'inquiète des facilités financières qui favorisent l'achat de biens dont nous n'avons pas grand besoin et qui nous entraînent dans un endettement prolongé. »

« J'ai en horreur le « téléguidage » de toutes nos politiques de production, de distribution, de défense, d'associations régionales, grâce aux études faites pour nous par des " spécialistes "... dont les intérêts ne coïncident pas avec les nôtres et qui nous conduisent à une vassalisation chaque jour plus prononcée. »

« J'accuse tous ceux qui profitent de l'assistance technique pour favoriser l'exode des cerveaux du tiers monde ; tous ceux qui refusent à nos cadres, à nos travailleurs, à nous-mêmes, la possibilité d'exercer chez nous notre esprit critique, notre sens de la recherche, *notre droit à la révolte* (8) et qui préfèrent s'entourer, par refus de vérité et de démocratie, de mercenaires de toutes sortes, jaunes, blancs ou noirs, assassinant grâce à eux la liberté de nos peuples. »

Ces propos, que beaucoup jugeront excessifs, je les ai entendus d'hommes et de femmes dont quelques-uns tout au moins seront demain aux postes de commande dans l'un ou l'autre des pays du tiers monde. Leur jugement ne valorise pas l'assistance technique, qu'ils assimilent à une opération d'aliénation culturelle et politique, étouffant nos capacités de résistance et nos possibilités de féconder notre terroir (9).

---

(8) C'est moi qui souligne. Je le fais pour me permettre d'opérer un rapprochement de pensées politiques. Cela paraîtra inattendu, mais ce n'est pas sans importance.

Je rappelle d'abord la pensée d'Abraham Lincoln : « Ce pays, avec ses institutions, appartient au peuple qui y habite. Lorsqu'il deviendra las du gouvernement existant, il doit pouvoir toujours exercer son droit constitutionnel de le censurer ou son droit révolutionnaire de le renverser. »

Je rapproche cela d'une pensée de Mao Tsé-toung : « Le marxisme comporte de multiples principes, mais ils peuvent tous se ramener en dernière analyse à une seule phrase : *on a raison de se révolter.* »

(9) On rappellera ici une analyse pertinente de François Perroux dans l'un de ses ouvrages fondamentaux *Economie du XXe siècle* (PUF, Paris, 3e édition, 1969, p. 401) : « La nation victorieuse — écrit-il — envoie aux populations vaincues des aliments et des remèdes. L'économie dominante fait bénéficier ses partenaires de programmes de reconstruction. Le colonialisme n'ose plus s'avouer tel et agir à visage découvert : Il organise sa survie partielle en affirmant un besoin de coopération... »

A cette assistance technique de « perdition », j'oppose résolument — et j'y reviendrai — le contrat de solidarité, fondé sur des décisions autonomes, le travail de nos peuples, leur auto-dépendance et leur volonté de participer à une civilisation de « condition humaine ensemble vécue et ensemble partagée » — cela dans le cadre d'une stratégie de satisfaction des besoins essentiels, incluant le combat pour la paix et la liberté.

Les politiques agricoles aujourd'hui en vigueur dans les pays concernés ne démentent pas ce jugement.

Le paysan marginalisé

Pour tout paysan du tiers monde aujourd'hui, qu'il soit d'Asie, d'Afrique ou d'ailleurs, le rêve premier n'est pas d'améliorer sa condition, *c'est de quitter la terre,* c'est de détruire son existence.

Il est devenu absurde pour lui de ne pas chercher à saisir sa chance de « bonheur ». Cette dernière est définie par l'argent. Or, l'argent, on n'en gagne pas en restant paysan : c'est l'expérience qui l'enseigne, d'abord l'expérience de l'impôt. Pour avoir cet argent, il faut produire ce que l'on veut bien vous acheter. Ce qui est demandé, c'est le marché extérieur qui le désigne : le coton, le cacao, le café. On cultive donc le coton, le cacao et le café. Les prix de ces denrées baissent régulièrement par rapport aux marchandises que l'on peut acquérir en échange : c'est encore le marché extérieur qui fixe ces prix.

Les marchandises, achetées en échange des cultures industrielles, nous avons appris à nos paysans qu'il fallait en disposer pour être « développé ». C'est une apparence qui les trompe en les asservissant à l'argent.

Nous avons mis à la mode la voiture individuelle. Nous avons décidé que la maison idéale devait être couverte de tôles, même si l'on crève de chaleur sous ce toit.

Or, pour fabriquer ces nouveaux biens, il faut des produits locaux et importés, et beaucoup de travail. Tout cela coûte de l'argent.

Cet argent, même si ce n'est que pour une légère amélioration de son niveau de consommation, le paysan ne le trouve pas en maniant la houe et le coupe-coupe. Il ne voit alors aucune raison pour que ses enfants subissent son propre sort. Par tous les moyens, il veut imiter les autres. Pour cela il va consentir à détruire son mode d'existence. La plupart des gouvernements indépendants l'y aident d'ailleurs fort bien.

Puisque l'on doit produire du café pour exporter, beaucoup de café, il faut davantage de terres pour des exploitations à la mesure de nos ambitions.

Se procurer des semences sélectionnées, utiliser des engrais et fongicides, des tracteurs et des outils importés, coûte cher, même si l'on peut faire appel à une coopérative. Les systèmes de prêts enchaînent le producteur au cycle de l'endettement et parfois à l'usure. Un exemple : tel planteur possède 20 hectares de terres et veut renouveler une partie de ses caféiers ; sa récolte de café doit être vendue pendant quatre ans pour rembourser les emprunts. La vulnérabilité de ces affaires est évidente. Le risque à courir est tel que beaucoup de paysans se voient contraints de céder leurs terres à bas prix et de s'employer comme salariés chez ceux qui ont plus de chance ; ou encore ils sont obligés d'émigrer vers les bidonvilles urbains.

Ainsi, l'agriculture ne reste « traditionnelle » que dans des régions marginales par rapport au marché mondial comme dans certaines contrées de l'Afrique de l'Ouest éloignées des ports. Ailleurs, des agricultures caractérisées par des pratiques rudimentaires, et donc avec des rendements et une productivité faibles, sont en voie de disparition.

Par contre, un type d'agriculture à haute technicité se développe. En Amérique latine, on observe de plus en plus de grandes et moyennes propriétés dotées de toutes les techniques agricoles de pointe.

Chaque fois qu'une culture spéculative reste aux mains des paysans, on peut en conclure qu'il est difficile de rentabiliser la production par des techniques modernes. Mais cela aussi est provisoire. Même les exploitations où les techniques traditionnelles pourraient avoir leur valeur n'échappent pas aux agressions extérieures. Ainsi, en Colombie, le café se cultivait par la famille paysanne, propriétaire ou locataire du sol, sur les pentes des montagnes où il était impossible de faire passer le tracteur. La famille paysanne avait acquis une grande habileté dans les méthodes culturales et le traitement du grain. En outre, le paysan ne comptabilisait pas la valeur réelle de son travail et de celui de ses enfants. Les organismes d'exportation se sont introduits jusque dans ce système. Ils ont fait de cette petite exploitation familiale une entreprise « rentable », en monopolisant la commercialisation du grain et en profitant de la monétarisation de l'économie.

Les paysans, pour payer l'usurier, le propriétaire ou le percepteur, se trouvent donc contraints de pratiquer des cultures spéculatives destinées au marché mondial, au détriment des cultures vivrières. Dans cette même Colombie, où 70 % des producteurs de café sont de petits agriculteurs mais ne disposent que de 20 % des plantations, on note ces dernières années — et c'est officiel — un déficit alimentaire croissant. L'une des raisons vient de l'extension des superficies caféières.

« Autrefois, raconte un vieux paysan, les bananes plantin ne se vendaient pas. On en produisait à profusion. Tout le monde en avait suffisamment. Aujourd'hui, il nous faut acheter cette denrée essentielle sur le marché, à des prix toujours plus élevés. »

L'autoconsommation villageoise a considérablement régressé avec les conséquences de la monétarisation. Les paysans sont astreints à vendre leurs produits dans des conditions désastreuses afin d'acquitter les sommes que l'on exige d'eux et *d'acheter de quoi se nourrir.*

Josué de Castro l'avait déjà mis en lumière, dans sa *Géopolitique de la faim :* c'est avec la dislocation des structures sociales traditionnelles, par la domination coloniale d'abord, et *ensuite par les notables autochtones,* que les problèmes de carences nutritionnelles se sont aggravés.

Croissance de la famine ?

Une autre tragédie de cette politique du profit à tout prix, c'est le gaspillage que l'on observe sous des formes variées. Des terres sont exploitées de façon telle qu'elles sont ruinées à jamais en quelques années.

Il est connu qu'en Afrique, sur des territoires étendus autrefois couverts de forêts denses, une cuirasse de latérite recouvre des centaines de milliers de kilomètres carrés.

L'extension des terres à arachide, d'une part, et le surpâturage des troupeaux, d'autre part, sont des causes importantes de l'avancée du désert dans la zone sahelienne. (La dépendance vis-à-vis des exportations d'arachide est quasi totale pour un pays comme le Sénégal.) En outre, il est plus facile de percevoir l'impôt sur des populations sédentaires que sur des populations nomades. Le pouvoir colonial et ses héritiers ont en effet cherché à contrôler les nomades, peulhs ou touareg. Ceux-ci, attirés par les puits creusés en bordure du désert, ont multiplié leur bétail, signe d'honneur et de richesse.

Le surpâturage des bêtes a entraîné un appauvrissement de la couverture végétale et de profondes modifications qualitatives dans la composition de la flore. Les plantes préférées des herbivores n'ont plus le temps de croître si la densité des animaux est trop forte. Les végétaux vivaces sont détruits et remplacés par des plantes annuelles aux racines moins profondes et qui fixent moins bien le sol. A cela s'ajoutent les ravages des chèvres qui déracinent les jeunes plantes.

Le désastre survenu lors d'une période exceptionnelle de sécheresse était à prévoir.

On estime aujourd'hui qu'un pays du Sahel comme le Niger risque d'être encore plus désertique dans trente ans. Dans cette zone par exemple, sur un hectare de terre donné, on ne peut dénombrer que trois espèces végétales différentes, trois arbustes rabougris, alors que des paysans se souviennent encore d'avoir joué au même endroit dans des bois il y a moins de trente ans.

Cette ignorance de notre géographie, ce mépris de notre environnement naturel ont des conséquences, on le sait pourtant, excessivement graves.

On est sans doute très impressionné par la qualité technique des plans de développement que tous les pays du tiers monde désormais élaborent ou se trouvent contraints de présenter, avec l'aide d'experts en général compétents et parfois dévoués... Ce qui manque à tous ces plans, invariablement, c'est leur but social, notamment dans l'agriculture. Nulle part vous ne verrez expliquer comment les productions de coton, de café, de cacao, vont permettre de satisfaire directement les besoins essentiels en nourriture, logement, santé, éducation, d'un nombre déterminé de familles de paysans (10). Sur ce point, une phrase ou un paragraphe résout le problème, en renvoyant par exemple aux rubriques budgétaires prévues pour la Sécurité sociale, nouvelle appellation magique pour renforcer et occulter les privilèges. Les paysans, eux, n'y ont pas droit.

Si j'insiste sur l'incohérence des plans de développement en référence à la condition paysanne, c'est pour mettre en lumière une autre supercherie.

Dans tous les pays du tiers monde, les exportations agricoles sont en forte augmentation. Les revenus, par contre, sont en baisse presque constante. Bien plus, café, cacao, thé, coton, jute, oléagineux, toutes productions non directement liées aux « besoins essentiels » des populations, connaissent une croissance

---

(10) Plus dramatiques sont les conséquences sur le littoral océanique de l'exploitation de certains minerais tels que le phosphate. Les plages et la végétation sont polluées, les poissons décimés. Si le PNB augmente, en revanche les familles de pêcheurs s'appauvrissent puisque l'on doit importer désormais ce qu'il faut pour se nourrir.

nettement plus forte que celle des céréales de base. Le modèle de consommation occidental se répand à tel point que la demande de blé — que nous ne produisons pas — s'accentue et que la dépendance alimentaire du tiers monde s'accroît (11).

On a maintenant inventé une nouvelle expression pour désigner la stratégie d'importation des denrées alimentaires : la téléalimentation. Beaucoup de nos pays sont soumis à cette dangereuse obligation sous une forme ou sous une autre. Certains doivent faire appel à l'aide de façon plus ou moins épisodique, vu leur faible capacité de paiement ; d'autres plus fortunés, par exemple grâce à la production et à l'exportation de pétrole, ont décidé d'acheter la nourriture « puisque l'argent est là ». Il reste en tous les cas peu de pays qui, par un taux de dépendance alimentaire faible ou nul, peuvent éviter le recours forcé à la téléalimentation.

Ici, la monoculture industrielle — ancienne ou récente — constitue la véritable tragédie. A. Provent et F. de Ravignan rappellent à ce propos deux situations saisissantes, celles du Cameroun et de la Haute-Volta. « Très intéressante, écrivent-ils, la comparaison entre un village de la zone cacaoyère du Sud-Cameroun, soumis déjà depuis longtemps à l'économie de traite, et un village de l'Ouest voltaïque qui cultive depuis peu le coton. »

Dans le premier village, constatent-ils, « les revenus monétaires moyens sont de l'ordre de 2 000 francs CFA par ménage et par an, dans le second, de l'ordre de 600 francs CFA. Dans le premier village, la plupart des cases sont tôlées ; la quasi-totalité des enfants savent lire, contre 10 % à peine dans le second. Mais, à coup sûr, autant de paludisme, de vers intestinaux, de tétanos, de maladies vénériennes, une alimentation aussi déficiente pour les enfants... A quoi sert d'être lettré si l'on est misérable ? » (12). On comprend que de telles analyses aient incité Amadou Ahidjo, président de la République unie du Cameroun, à promouvoir récemment une recherche internationale sur les implications sociales des projets de développement économique (13). Car la misère nous poursuit ou nous

(11) Dans certains pays, le pain de blé tend de plus en plus à remplacer la boule de maïs ou de mil ; j'y reviens au chapitre suivant.

(12) A. Provent et F. de Ravignan, *Le Nouvel Ordre de la faim, révolutions paysannes,* Seuil, 1977.

(13) Projet entrepris conjointement par l'IIES et le ministère fédéral allemand de la Coopération.

menace parce que nous n'avons pas choisi la pauvreté. Les grandes surfaces, les techniques agricoles modernes, des productions plus intenses, des ventes plus élevées, ne nous donnent que de l'argent. Cet argent dont la valeur diminue ne sert pas à tous, mais à quelques-uns. Le paysan n'est pas mort, mais, pour sûr, il va mourir, surtout si, comme cela arrive parfois, on décide de construire des barrages destinés à l'irrigation... et de ne pas s'en servir...

Les mirages de l'industrialisation

Voltaire nous avait avertis. Il importe de nous libérer de « trois grands maux : l'ennui, le vice et le besoin. »

Lorsque, discutant avec un responsable politique d'un pays en voie de développement, vous lui demandez ses préoccupations immédiates, c'est vraiment très rare qu'il ne mentionne pas l'oisiveté de la jeunesse, et donc la nécessité d'investissements pour l'implantation d'industries, car, face à l'exode rural, au chômage, à la prostitution et à la délinquance, la création d'emplois industriels paraît être le recours ultime.

Mais très vite, dans la conversation, vous observez que le modèle industriel aussi suscite de graves inquiétudes et un désenchantement à peine voilé.

Dès lors, deux questions se posent : comment est conduite l'industrialisation ? Quels en sont les effets sociaux ?

D'abord il a été fréquemment souligné que, gardant les secteurs à forte valeur ajoutée, les pays industrialisés transfèrent certaines activités vers le tiers monde par l'intermédiaire des firmes multinationales, véritables agents de décision en ce qui concerne la « division internationale du travail » et son évolution.

On peut distinguer trois raisons essentielles à ce transfert. En premier lieu, le déplacement des industries intensives en travail est avantageux puisqu'il permet d' « exporter » les problèmes sociaux et de jouer sur le différentiel de salaires entre les deux groupes de pays. Certes, ce type de transfert connaît actuellement ses limites dues au chômage qui sévit dans les pays occidentaux, mais deux secteurs au moins sont encore concernés : le textile et le montage électronique. Le transistor « made in Hong-Kong », la calculatrice de poche « made in Taiwan », le téléviseur « made in Singapore », envahissent les marchés du monde entier ; le redéploiement s'est réalisé assez spontanément il y a une dizaine d'années, les compagnies multinationales décidant souverainement de la politique industrielle des pays d'accueil et trouvant sur place des avantages considérables : main-d'œuvre nombreuse, pression du chômage sur les salaires, mais surtout grande habileté manuelle des travailleurs, héritage de cultures technologiquement avancées depuis des siècles.

La seconde raison du transfert tient au fait que les pays industrialisés ont tendance à s'orienter vers une reconversion de leurs industries en petites unités de production, où l'homme ne serait plus au service de la machine. Cet intérêt se combine avec deux autres : éviter les activités polluantes, génératrices de coûts supplémentaires pour respecter les nouvelles législations, et bénéficier des économies dues à l'implantation des unités auprès des sources de matières premières. On détermine ainsi d'autres secteurs touchés par le redéploiement : la première transformation des métaux — sidérurgie, métallurgie — et des produits énergétiques — pétrochimie. Cette dernière se caractérise par un niveau technologique élevé : ici, l'exigence ne se situe pas dans la présence d'une main-d'œuvre abondante et bon marché, mais dans celle de travailleurs hautement qualifiés, ce qui implique le plus souvent un recours à l'assistance technique.

La troisième raison du transfert d'activités est l'apparition d'un pouvoir d'achat croissant pour les produits manufacturés dans les pays du tiers monde eux-mêmes. Ce phénomène, ajouté à l'existence d'une base industrielle préalable, est à l'origine des industries de substitution d'importations : agro-alimentaire, habillement, puis appareillage électrique, construction automobile, etc. On a pu croire à une époque que ces secteurs s'élargiraient rapidement. Or on constate à présent l'étroitesse des débouchés internes, la plupart de ces biens de consommation durable correspondant au pouvoir d'achat d'une minorité. De même, l' « import-substitution » a connu des résultats décevants quant à l'emploi : la technologie, souvent sophistiquée dans ces secteurs aussi, n'est pas adaptée à la disponibilité en main-d'œuvre simple. L'incompatibilité entre la technologie et l'emploi n'est pas toujours apparente et elle n'éclate parfois qu'après des décisions irréversibles.

Le Brésil pays pourtant privilégié et qui dispose d'une gamme étendue de ce type d'industries, s'inquiète lui-même de voir les activités manufacturières n'employer encore que 17 % de la population active alors que la population urbaine a augmenté de 30 à 60 % en quinze ans (14). Cet exemple est à rappeler, à l'heure où l'on parle de plus en plus de « redéploiement industriel géographique ».

Celui-ci, on vient de le voir, est en fait conduit selon les intérêts des pays industrialisés. Le tiers monde ne participe au jeu qu'en accueillant des secteurs disparates et disjoints : pétrochimie et sidérurgie au Moyen-Orient, électronique en Asie du Sud-Est, montage automobile dans certains pays d'Amérique latine, textile en Afrique et en Asie. Ces implantations industrielles sont sectorielles, parcellaires et tournées vers l'extérieur.

En outre, il faut en mesurer le coût pour les pays d'accueil. Grâce à des prêts considérables, des Etats ont installé des usines de biens d'équipement. La dette extérieure des 84 pays en développement recensés par la Banque mondiale a presque doublé entre 1969 et 1973, passant de 62,5 à 116,8 milliards de dollars. Elle a atteint 212,6 milliards de dollars en 1976, ce qui représente une multiplication de l'endettement par 3,4 en sept ans, selon un rythme qui s'est accéléré depuis le tournant économique de 1973 (15).

Le fonctionnement en sous-capacité de production est souvent dû à l'état de l'équipement. Dans certains cas, celui-ci est démodé : les vieilles machines ont été soldées et exigent des réparations constantes. Dans d'autres, au contraire, le haut niveau technologique d'un équipement entièrement nouveau est inadapté à la structure de qualification des travailleurs, ce qui provoque la multiplication des ruptures de production.

L'absence de maîtrise des méthodes de fabrication, quelle qu'en soit la cause, est à l'origine des surcoûts : les frais de réparation et de maintenance s'ajoutent aux frais financiers, à l'amortissement et, pour certains pays, au prix élevé de l'énergie.

De telles conditions de production affaiblissent la compétitivité des produits fabriqués localement, qui ne correspondent pas au faible pouvoir d'achat des populations. Ainsi beaucoup de ces usines, en Afrique par exemple, produisent des denrées plus chères que celles importées, au grand étonnement des consommateurs.

Les entreprises multinationales rétrocèdent les unités devenues non rentables, ou compensent ces charges par des privilèges fiscaux

---

(14) Yves Lacoste, *Géographie du sous-développement*, PUF, 1965.

(15) Voir en annexe I les statistiques actuellement disponibles pour les pays en voie de développement à faible et moyen revenu.

et la faible rémunération de la main-d'œuvre. D'autre part, elles se reconvertissent vers de nouveaux secteurs. Leur capital est ainsi vite récupéré, aidé en cela à la fois par les banques nationales de développement qui continuent de financer de tels projets pour leurs « contreparties locales », et par les gouvernements qui continuent d'accorder des conditions fiscales avantageuses.

En dernier ressort, il s'agit surtout de produire à des coûts minimes, si minimes que le bénéfice est parfois de dix à vingt fois supérieur à celui des mêmes entreprises, en Europe par exemple. Le croquis ci-dessous, en reprenant les avantages comparatifs, montre un de ces calculs :

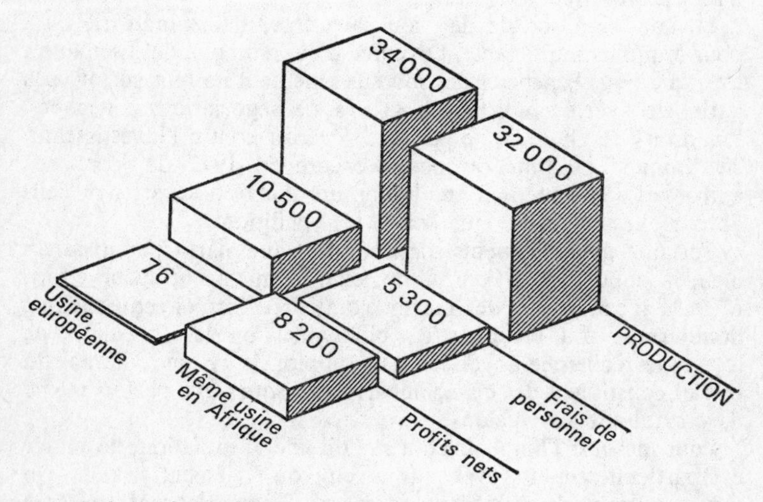

Le calcul des industriels

Le cas dont sont tirés les chiffres ci-dessus concerne une usine de confection à sa cinquième année d'exercice. Dans l'hypothèse européenne, il s'agit d'une usine déjà existante, rachetée par un investisseur : ses bénéfices sont imposés au taux de 50 %. Dans l'hypothèse africaine, l'usine a été créée de toutes pièces avec des capitaux avantageux, prêtés en grande partie par un fonds de développement sur dix ans ; elle a la même taille que sa concurrente européenne (350 personnes au départ), se développe au même rythme (+ 10 % par an) et commercialise ses produits sur le même marché, l'Europe. Mais, différences appréciables, son personnel coûte deux fois moins cher et ses profits sont exonérés d'impôts pendant cinq ans (au-delà, ils supportent un prélèvement de 30 %). La conclusion est claire.

Schéma extrait de *Economia*, n° 19, janvier 1976.

Une telle stratégie d'industrialisation favorise une forme nouvelle d'alliance entre minorités privilégiées autochtones et étrangères. Exportant leurs capitaux issus de profits industriels, ces minorités les font revenir ensuite sous forme d'investissements étrangers, qui bénéficient de nouveau de toutes les conditions favorables mises en place pour les accueillir.

Du travail infernal a l'urbanisation qui détruit...

Nous en arrivons ainsi aux effets sociaux de ces phénomènes d'industrialisation.

La condition sociale des nouveaux travailleurs industriels est pour le moins inquiétante. On exige d'eux une grande discipline : c'est que pour bénéficier des investissements il ne faut surtout pas parler de liberté syndicale, de grèves, de négociations collectives. Les droits de l'homme ne peuvent s'exercer contre l'investisseur... Tel homme politique proposait encore en 1972 de juger nos ambassades à l'extérieur sur le nombre d'investissements recueillis par elles, « quelles que soient les conditions ».

Certains gouvernements, désireux de faire participer massivement la population à l'ère industrielle, ne ménagent aucun effort. Mais la reconversion des masses rurales à l'emploi industriel est douloureuse. La vie dans les bidonvilles ou les échéances de loyers, la recherche angoissée d'un emploi, le rythme infernal du travail constituent des changements si brusques que parfois même ils conduisent au suicide.

Pour mesurer l'ampleur et la rapidité de la mutation, un indice est particulièrement révélateur : celui du logement urbain. On sait que, dans de nombreux pays qui s'industrialisent, en Asie notamment, les nouveaux quartiers d'habitation sont souvent occupés par les classes moyennes, les loyers restant trop élevés par rapport au pouvoir d'achat des travailleurs de l'industrie. Dans certains pays, une politique délibérée de destruction du cadre de vie et de la culture traditionnelle se développe tout comme en Europe. Singapour paraît être le cas extrême de ce tragique mimétisme, comme un récent reportage le démontre (16) : « De 1960 à 1975, l'Etat a construit 250 000 logements et 55 % des 2,3 millions d'habitants de Singapour ont déjà été relogés

---

(16) Jean-Luc Lederey, « Singapour ou la lutte du progrès », *Journal de Genève,* 17-21 février 1977.

par le secteur public. D'ici à 1980, 150 000 nouveaux logements seront encore construits et 70 % de la population habiteront ces logements d'Etat. Parallèlement à l'édification de ces cités satellites, le gouvernement procède à la destruction systématique des maisons traditionnelles et des petits villages, à la reconversion sociale de leurs habitants... En même temps qu'il trace le mode de vie de sa population, le gouvernement en limite sévèrement la croissance. Les familles de plus de deux enfants sont sévèrement pénalisées par des impôts et des taxes diverses. Un objectif : stabiliser la population à 3,5 millions de personnes, au début du siècle prochain. Les logements publics (une majorité de trois pièces) sont prévus pour abriter une famille nucléaire, de type occidental, et ne permettent plus guère d'abriter les clans familiaux à la mode chinoise. Enfin, ce regroupement de la population permet sans doute un contrôle social plus efficace. »

L'industrialisation mal régie engendre donc une urbanisation destructrice, aggravant encore les contradictions et les inégalités sociales, comme le montre la différenciation des modèles de consommation.

Ceux qui s'enrichissent, classes moyennes supérieures, commerçants aisés, cadres de l'Etat, dédaignent le plus souvent les produits fabriqués localement et imposent à tous des normes de consommation à l'occidentale. Leurs larges dépenses sont autant de perdu pour l'épargne nationale, autant de gagné pour les capitaux étrangers. Les observateurs — et Jean Ziegler (17) en particulier — notent ces dernières années, surtout depuis le début de « la crise », l'accroissement dans les banques européennes des fonds venus du tiers monde. La corruption est souvent flagrante. Qui ne connaît dans tel pays de la faim l'histoire du « château de la sécheresse » ?...

Les villes du tiers monde sont l'expression de cette société d'accumulation, de démesure, d'entassement, de corruption. Elles s'accroissent à un rythme extraordinaire depuis vingt-cinq-trente ans. En Asie, la population urbaine est passée de 180 millions d'hommes en 1950 à 575 millions aujourd'hui ; en Amérique latine, de 50 à 160 millions ; en Afrique, de 30 à 90 millions. *La ville, c'est le cancer qui grandit et dévore tout le corps.* Elle prend des terres à la campagne, aspire ses travailleurs et ses revenus, mais elle ne lui rend pas de vitalité. Les géographes montrent combien la ville de type moderne est un corps étran-

(17) Cf. *Une Suisse au-dessus de tout soupçon,* Le Seuil, 1976.

ger dans un pays sous-développé. Elle dépend peu de la campagne environnante pour ses approvisionnements, les produits se vendent au marché urbain où prédomine la part de ce qui vient de l'extérieur.

Le nombre des automobiles et des camions en circulation est passé, pour l'Afrique, de 3,4 millions en 1967 à 5,2 millions en 1972, pour l'Amérique latine, de 7 à 16 millions et, pour l'Asie (sans le Japon), de 3 à 6 millions. Les plus petits pays ne font pas exception. Il y a plus de voitures particulières à Maseru qu'à Pékin. On a oublié que chaque automobile vendue à un particulier prive des centaines de personnes d'un réseau d'autobus adéquat et que chaque réfrigérateur vendu à un individu fait reculer la perspective d'un congélateur communautaire.

On rivalise de luxe dans les quartiers résidentiels : la climatisation, les divers gadgets sont jugés indispensables. Les piscines se multiplient ; les gazons s'étendent, privant d'eau les quartiers moins bien pourvus. Les terrains coûtant de plus en plus cher, les pauvres s'entassent dans les quartiers les plus défavorables, dans des zones inhospitalières.

Dans une étude effectuée pour le Bureau international du travail, P. Bairoch (18) calcule que dans l'ensemble des pays en voie de développement le nombre des chômeurs urbains est passé, entre 1950 et 1970, de 7 à 22 millions, soit de 2 à 3,5 % de la population active totale, mais de 10 à 12 % de la population active urbaine. Et surtout, les jeunes de quinze à vingt-quatre ans ont un taux de chômage plus que double de celui de l'ensemble de la population.

Toute une population marginale cherche « à se débrouiller » (« nos ayudamos », dit-on à Santiago) en gravitant autour des quartiers riches.

La ville, la grande ville, Mégalopole à l'européenne ou à l'américaine, est devenue pour nous l' « image » et le mirage. Or je ne vois rien d'exaltant ou d'exemplaire dans ces tribus toujours sur pied de guerre qui peuplent Chicago et ses environs. Le sophisme premier provient de ce que nous définissons le développement en dehors de l'environnement : le bon environnement est la condition première du développement puisqu'il nous permet de vivre en équilibre. Or la diversité des écosystèmes qui caractérisent les milieux exploités par l'homme se réduit de plus en plus : création

---

(18) « Le chômage urbain dans les pays en voie de développement », 1972.

d'espaces urbains entièrement artificiels, uniformisation et parfois détérioration de l'espace rural par extension de la monoculture industrielle sur de vastes surfaces, destruction des derniers vestiges de végétation spontanée, régression des forêts, anéantissement des étendues jugées inexploitables par notre espèce (marais par exemple). Quant à la biomasse animale non domestiquée, elle a été presque entièrement éliminée dans les régions « développées » du globe.

La finalité de l'expansion et la croissance industrielle maximale, érigées en dogme par la mentalité et la pensée économique occidentales, voilà ce que dénoncent avec raison les écologistes contemporains. Aucune espèce vivante ne peut exploiter le milieu naturel au mépris tant des lois du recyclage des éléments que du taux compatible avec la pérennité des biocenoses, c'est-à-dire avec la préservation de l'équilibre biologique entre populations animale et végétale. Toute population qui effectue des prélèvements supérieurs à la productivité de l'écosystème auquel elle appartient consomme non seulement l'intérêt, mais le capital — dès lors n'est-elle pas en danger de mort ?

La tragédie du sens perdu

Comparaison n'est certes pas raison... mais je ne puis m'empêcher de rappeler ici un livre qui en son temps eut son importance : *The Lonely Crowd, a study of the changing American character* de David Riesman, paru il y a déjà vingt-cinq ans. L'auteur y relevait que, à mesure que s'accélérait l'évolution sociale des Américains, les valeurs changeaient si rapidement que les individus, plutôt que de se fier aux « gyroscopes » de leurs propres principes orientés de l'intérieur, ont commencé à se fier à leur « écran radar », adoptant d'autres orientations et changeant constamment leur route pour se conformer aux goûts, aux opinions et aux valeurs de ceux qu'ils entendaient imiter.

C'est un peu le même processus que subissent des peuples entiers. Beaucoup de pays du tiers monde télécommandés de l'extérieur, incapables de s'orienter selon des principes internes d'autodirection, sont aujourd'hui à l'heure du radar. Tous les pilotes cernés par le brouillard ou la tempête savent que « l'heure du radar » est une heure périlleuse. Et lorsque le radar est lui-même déréglé, c'est apparemment l'heure de la fatalité.

J'ai intitulé ce chapitre : « La déraison du mimétisme ». Les mimes étaient la dernière espèce des comédies romaines. Les acteurs ne portaient ni brodequins ni cothurnes et ils se barbouillaient le visage.

La pièce que nous avons choisi de jouer est-elle vraiment une comédie ? J'ai parlé ailleurs (19) de « mimétisme tragique ». En effet, marcher la tête en bas est une acrobatie réservée aux spécialistes du genre. Pour eux comme pour tous les autres, si l'acrobatie devient condition habituelle de vie, ce n'est pas seulement inconfortable, c'est un véritable supplice. Il est vrai que ce supplice peut constituer une chance par le défi même qu'il présente. « Seul, disait Nietzsche, seul ce qui fait mal, très mal, saisit l'homme tout entier et accélère le processus d'irruption de l'esprit en lui. »

L'histoire du « Mouton enragé » (encore plus d'argent et encore plus de femmes) n'a pas bien fini... mais l'histoire des hommes peut connaître heureusement d'autres dénouements. Lorsque nous aurons accumulé nos délices et nos médailles, lorsque nos juges et nos savants auront étalé en tous endroits leurs toges d'apparat, lorsque nous aurons amusé le monde de toutes nos bouffonneries, il restera encore des enfants aux yeux enfoncés qui nous demanderont des comptes pour les cadavres ramassés à l'aube dans les rues de Calcutta, pour les femmes en noir qui se tiennent debout, au crépuscule, sur les collines du Tigre en implorant silencieusement la vengeance des innocents.

Et, je vous l'assure, nous aurons mal, vraiment très mal. Alors peut-être y aura-t-il une irruption de l'esprit.

Il est urgent de renaître et d'inventer.

---

(19) *La formation des cadres africains en vue de la croissance économique,* par Albert Tévoédjrè, préface d'Alfred Sauvy, Diloutremer, Paris, 1965.

CHAPITRE III

RÉINVENTER L'ÉCONOMIE ?

« Qui emprunte pour se marier, vendra ses enfants pour payer les intérêts. »

Proverbe libanais.

« Le meilleur état pour la nature humaine est celui dans lequel personne n'est riche, personne n'aspire à devenir plus riche et ne craint d'être renversé en arrière par les efforts que font les autres pour se précipiter en avant. »

(J. Stuart Mill, *Principles of Political Economy*, 1852.)

Chacun connaît l'histoire de Diogène que l'on rencontra un jour dans les rues d'Athènes tenant en main en plein soleil de midi une lanterne allumée et déclarant : « Je cherche un homme. »

Me pardonnera-t-on, en ce siècle de grands talents, de prétendre chercher à mon tour des économistes ?

Et pourtant, on serait tenté, devant la misère qu'il ne faut plus décrire, le chômage qui submerge les sociétés les plus opulentes, l'inflation et le désordre généralisé, de suggérer que nous vienne enfin une nouvelle « théorie générale de l'économie ».

Pour une logique inductive : privilégier le réel

Descartes rappelait volontiers que nous sommes victimes de deux sources principales d'erreurs : nos « appétits » et nos « précepteurs ».

Nous avons vu que le contrôle imparfait de nos appétits nous conduisait à tout, sauf au bien-être.

S'agissant d'encourager ceux qui peuvent réinventer l'économie, je voudrais insister sur la responsabilité de nos précepteurs, rappeler le syllogisme que nous avons déjà évoqué et qui ressemble comme un frère au « syllogisme du désir » (1) formulé par Aristote. Il exprime bien, je crois, le mimétisme qui nous tue.

Il est temps en effet de récuser les arguments des protagonistes d'un raisonnement déductif posant des prémisses de validité douteuse ou que l'expérience n'a jamais prouvée.

La confiance que l'on place en des raisonnements économiques qui ont répandu à travers le monde des théorèmes et des lois qu'il ne resterait plus qu'à démontrer par des acteurs déjà déterminés, nous a conduits aux pires impasses. Ainsi, par exemple, les thèses concernant les monocultures de la « périphérie » permettant au « centre » de vivre sûrement de produits différenciés et complémentaires, mais laissant affamés ceux qui croyaient à l'échange rémunérateur.

Les prémisses de la pensée économique qui guide la plupart des pays du tiers monde sont posées ailleurs, *quel que soit cet ailleurs ;* c'est là un fait, mais c'est aussi un grand malheur. Car le fondement de la logique déductive, nous apprend le philosophe, c'est le principe d'identité. Une fois qu'on l'a posé et admis, on est pris au piège. On n'a pas le droit, ayant affirmé une proposition, d'en affirmer une autre qui la contredise et l'on se trouve ainsi engagé dans le devoir, l'ayant affirmée, de l'affirmer toujours, avec toutes ses conséquences.

Un autre grand malheur, c'est que les hommes du tiers monde tardent à promouvoir *eux-mêmes* une pensée nouvelle fondée sur un autre raisonnement plus valable que le premier et qui est l'induction.

Dans une opération de logique formelle, en effet, la déduction n'a pas plus de force que l'argument le plus faible : *Pejorem sequitur semper conclusio partem.* La déduction à partir d'objectifs extérieurs définis par le « précepteur » amène les pays du tiers monde à des conclusions mauvaises ou négatives (2). Il est évident par contre que l'induction, à partir des réalités mêmes de nos pays, est amplifiante, accroît les modalités et la qualité

---

(1) « J'ai soif », dit le désir ; « voici à boire », dit la sensation ou l'imagination, ou l'intelligence, et l'animal boit immédiatement *(De motu animalium.)*

(2) Schopenhauer a tiré du même principe un précepte aujourd'hui bien connu : « N'accepte jamais que ta vérité soit faite par quelqu'un d'autre. Plus que de tout, aie honte de cela. »

du jugement, nous fait passer du particulier à l'universel, et surtout du contingent au nécessaire.

Francis Bacon a rendu célèbre la « Chasse de Pan ». Elle consiste dans le recueil méthodique des expériences les plus variées. C'est à une vraie chasse de Pan que s'est par exemple livré le Japon pour monter sa puissance industrielle. Dans une étude, *Pour une nouvelle coopération* (3), Yves Berthelot et Giulio Fossi rappellent l'organisation prodigieuse de diffusion des connaissances mise au point par ce pays : tous les ouvrages et revues technologiques publiés dans les pays industrialisés sont reçus et rassemblés. « Chaque revue est analysée, les articles sont classés, un résumé de chaque sujet, traduit en japonais, est envoyé à l'ensemble des industriels intéressés. 3 000 à 5 000 ingénieurs se consacrent à cette tâche de dépouillement et répondent en outre aux industriels qui viennent leur demander un conseil sur les méthodes à employer pour fabriquer tel produit, accroître la productivité de tel processus de fabrication. »

Certes, on peut émettre de sérieux doutes sur l'opportunité d'orienter ce prodigieux effort vers la conquête systématique de marchés extérieurs. Mais je tenais seulement à souligner ici la façon dont procède le Japon pour « mettre à nu » le principe technologique, le comprendre, l'assimiler, et en développer par lui-même les applications.

Réinventer l'économie signifie donc d'abord opérer une révision culturelle profonde, une critique du type de savoir dominant, de façon à rendre tous ses droits à une raison enracinée dans l'expérience et confortée par elle. En combinant — comme Kant le suggérait déjà — les principes de substance, de causalité et d'action réciproque, il s'agit de déboucher sur une méthode scientifique qui ne privilégie pas nécessairement la quantification des biens ou des revenus, mais assure en tout cas le passage réel du *Gross National Product* (GNP) ou produit national brut à ce que Toynbee appelle le *Gross National Welfare* (bien-être des hommes et des peuples).

Il s'agit de reprendre les fondements mêmes de la science économique pour changer quelques présupposés implicites tels que la priorité de la lutte égoïste pour la vie. Le savoir économique doit s'établir non sur des prémisses de volonté de puissance et de recherche du profit, mais sur ceux de la bonne organisation

---

(3) Yves Berthelot et Giulio Fossi, *Pour une nouvelle coopération*, PUF, Paris, 1975.

de vie des groupes humains, selon l'étymologie même du terme économie. En admettant la priorité du profit et en privilégiant l'échange marchand, l'économie s'est réduite à une « chrématistique », c'est-à-dire à l'art d'obtenir de l'argent.

Il nous importe de récupérer ainsi le droit de nous extraire de cette sorte de géocentrisme qui nous est imposé et que parmi d'autres, Raoul Prebisch et Samir Amin (4) ont bien mis en lumière, pour promouvoir nous-mêmes, comme Copernic l'a découvert et enseigné, un « héliocentrisme intelligible ». Intelligible parce que nous aurons d'abord observé chaque réalité sociale dans sa spécificité, puis réfléchi sur ces situations : « Le fait suggère l'idée, l'idée dirige l'expérience, l'expérience juge l'idée. » c'est de Claude Bernard, mais cela pourrait bien aussi être une référence à Ibn Khaldun. Si celui-ci ne comprit, hélas ! que très imparfaitement la psychologie et les mœurs des peuples négro-africains, il fut néanmoins l'un des tout premiers à souligner dans sa *Muqaddima* l'influence des facteurs géographiques, ethniques, socio-économiques sur le développement des civilisations.

Donc, à partir de la raison, non plus en germe mais en action, je veux dire non pas seulement théorique, mais expérimentée dans une pratique à partir de réalités directement ressenties par les peuples eux-mêmes et dans le cadre d'une géométrie non étrangère à eux, tout devient possible. Un espoir existe en effet depuis que l'assemblée générale des Nations unies s'est engagée à promouvoir l'instauration d'un nouvel ordre économique international.

Dans cette perspective, une Association des économistes du tiers monde a été créée dont le premier congrès s'est réuni à Alger au mois de février 1976. Les premiers résultats sont prometteurs (5), et l'on peut espérer que les travaux vont s'intensifier après cette phase de démarrage. Il est important de participer à la réflexion de ceux qui, au nom du tiers monde, élaborent les théories et cherchent les pratiques d'une économie nouvelle, en leur confiant observations, inquiétudes et commentaires pouvant servir à mieux appréhender les réalités qui nous concernent.

---

(4) Pour une analyse critique de ce géocentrisme, on consultera notamment :

S. Amin, *L'accumulation à l'échelle mondiale,* éd. Anthropos, 1974.

R. Prebisch, *American Economic Review,* May, 1959.

(5) Voir : *Compte rendu du congrès de l'Association des économistes du tiers monde,* Alger, 1976.

RETOUR A LA VALEUR D'USAGE : AUTOPRODUCTION ET ÉCONOMIE DE SERVICES

Le point sur lequel je voudrais insister, c'est que la thèse de la poursuite de l'opulence est erronée, si elle nous prive d'une nécessité chaque jour ressentie, celle de chercher comment fonder une autre théorie économique pour une société d'anticonsommation, une société de richesse collective et de partage dans une pauvreté qui signifie le mieux-être du plus grand nombre.

Réinventer l'économie, c'est en fait revenir à la source du concept, privilégier les besoins sociaux et non la productivité pour le profit des monopoles ; c'est chercher à mettre fin aux pénuries sociales nées de la rareté des biens essentiels à la survie de chaque homme et de tous les hommes.

M'appuyant sur ces idées de base et sur la méthodologie que j'ai évoquée, je pense que des réponses satisfaisantes peuvent être apportées à des questions fondamentales comme celles-ci :

— Quelle est notre situation dans le monde aujourd'hui ? Dans quel état humain et social sommes-nous ?

— Si toute économie s'appuie généralement sur une production qui est le fondement de la richesse de la nation, alors que produire, pour qui et comment ?

— Comment organiser l'économie mondiale pour que la « richesse des nations » privilégiées ne soit pas cause de la misère du monde ?

A la conférence du Club de Rome réunie à Alger en octobre 1976 pour discuter du projet RIO (6), un professeur chinois, M. Han-Sheng Lin, a présenté une communication orale qui a retenu l'attention de tous les participants.

> « Nous voulons bâtir une économie ? disait-il, eh bien, regardons nos peuples. Qui sont-ils ? Ils sont nombreux, ils sont pauvres, mal nourris, mal logés, sans éducation, malades, réduits au chômage. Voilà notre point de départ. Il ne saurait y en avoir d'autre. »

Je crois en effet que c'est là le fondement de toute recherche de politique économique. Et il convient de souligner que ces peuples, nos peuples, vivent sur une terre, dans un environne-

---

(6) Projet RIO : *Reshaping the International Order,* rapport établi sous la direction de Jan Tinbergen, 1976.

ment géographique, géopolitique et socio-culturel qui détermine leur existence et qu'il faut donc organiser.

Ces vérités simples et primaires devraient, osons l'espérer, constituer les principes de base de « notre petit livre ». En les mettant en œuvre, nous saurons alors réorienter notre agriculture, notre industrie, mieux définir les termes de nos échanges avec le monde extérieur et surtout nous assurer une *essentielle* valeur d'usage.

L'économie d'échange, qu'elle soit régulée par le marché ou par la planification, est nécessaire à tous les niveaux si l'on accepte une spécialisation pour certaines activités, afin d'en accroître la productivité. Mais elle ne saurait éliminer la production des biens pour un usage direct par les populations elles-mêmes. Par ailleurs, il doit y avoir place pour ce qu'on pourrait appeler enfin une véritable « *économie de services* », considérée non plus comme la résultante mais la source même du développement. Les services sociaux sont à organiser en toute priorité dans les régions les plus démunies et l'on ne peut en aucune façon les attendre « de surcroît », une fois l'industrialisation largement amorcée. Ils répondent en effet à des besoins essentiels au même titre que les biens matériels les plus utiles. En outre, ces services — hygiène, habitat, infrastructure fonctionnelle, formation pour tous — se révèlent indispensables pour une amélioration rapide et généralisée des capacités de travail. Une économie de services *directs,* comme je l'entends ici, favorise la valeur d'usage (7) et oriente ses actions vers le plus grand nombre. Un tel principe implique une technologie simple, « radicale » et peu coûteuse, un réseau de compétences souple et diversifié, une gestion et un financement assurés, au moins en partie, par les communautés elles-mêmes, bref une organisation décentralisée — le village en milieu rural, le quartier en zones urbaines — selon des échelles appropriées de proximité et d'appartenance des divers groupes sociaux.

Réinventer l'économie, c'est de cette manière la rendre consubstantielle au social. Ainsi la valeur marchande et la production pour le marché ne deviennent pas les critères et les buts de toute l'économie.

---

(7) Il ne s'agit donc pas de la « tertiarisation » systématique de la société, ce que beaucoup déplorent avec raison dans maints pays industrialisés.

OÙ EN SOMMES-NOUS ?

Mais il convient de vérifier ces idées en regardant une carte du monde : quelle est en effet notre situation ? Comment sommes-nous perçus ?

Les meilleures statistiques présentent souvent les plus graves défauts. Je crois cependant que si l'on veut avoir une idée des raisons de réinventer l'économie, il faut s'observer soi-même et tenter de mieux se connaître.

Je propose donc de scruter les chiffres que je soumets à l'analyse et qui sont des indicateurs de développement économique et social par groupe de pays (bas revenus, revenus moyens, revenus élevés, cf. pp. 76-77).

Ce tableau permet de voir en particulier que pour une cinquantaine de pays les plus pauvres, englobant déjà le tiers de l'humanité, la situation est absolument catastrophique sur toute la ligne.

A ces chiffres, on peut ajouter quelques brèves observations.

Non seulement le fossé entre les diverses régions du monde est large, mais, lorsqu'il est mesuré par les nombreux indicateurs à notre disposition, il ne cesse de s'approfondir. C'est un fossé, sur le plan de la richesse et des possibilités, qui existe entre les nations aussi bien qu'*à l'intérieur* des nations elles-mêmes.

En 1974, plus d'une centaine de pays en développement d'Afrique, d'Asie et d'Amérique latine (avec 67 % de la population mondiale) représentaient seulement 14 % du produit mondial global ; par contre, les vingt-cinq pays industrialisés d'Europe et d'Amérique du Nord (avec 25 % seulement de la population mondiale) représentaient presque 72 % du PNB global pour la même année.

Malgré la diversité des définitions et des estimations de la pauvreté dans les pays en développement, il est clair qu'elle atteint une grande ampleur et un degré important dans ces pays où la population la plus pauvre, estimée entre 920 millions et 1,2 milliard d'habitants, vit dans un état avoisinant le dénuement absolu.

Le revenu par habitant et le revenu national sont en eux-mêmes insuffisants pour mesurer le fossé qui sépare les nations riches des autres. Aussi toute évaluation des avantages et des désavantages relatifs doit-elle dépasser la notion de revenu global ou moyen pour s'attacher à la répartition réelle des revenus entre couches sociales. Possibilité se trouve ainsi donnée de tenir

INDICATEURS ECONOMIQUES ET SOCIAU

Revenus exprimés en Dollars	Population à la mi-1976 (millions)	PNB par habitant 1974 ($)	Indice de bien-être populaire (IBEP) [1]	Taux de croissance du PNB par habitant 1965-74 (%)	Taux de natalité (‰)	Taux d mortali (‰)
Pays à bas revenu PNB/h inf. à 300 (48 pays)	1 341,3	152	39	1,7	40	17
Pays à revenu moyen/ inférieur PNB/h comp. entre 300 et 699 (39 pays)	1 145,4	338	59	4,4	30	11
Pays à revenu moyen/ supérieur PNB/h comp. entre 700 et 1 999 (35 pays)	470,6	1 091	67	4,7	36	10
Pays à revenu élevé PNB/h sup. à 2 000 (37 pays)	1 057,0	4 361	95	4,0	17	9

1. L'IBEP (indice de bien-être populaire) de chaque pays est fondé sur une moyenne de ses indices de vie, de mortalité infantile et d'alphabétisme au milieu des années 1970.

Note : Les données indiquées pour chaque groupe de pays sont le total cumulatif pour ce qui concerne la population, les exportations, les ɔU DEVELOPPEMENT PAR GROUPE DE PAYS

ɛspérance de vie à la ɩaissance	Mortalité infantile	Taux d'alphabétisme	Dépenses d'éducation publique par habitant 1973	Dépenses militaires par habitant 1973	Exportations totales, f.o.b., 1975	Importations totales, f.o.b., 1975	Réserves internationales septembre 1976
(années)	par 1 000 naissances vivantes	(%)	($)	($)	(millions de $)	(millions de $)	(millions de $)
48	134	33	3	6	27 143	32 809	13 869
61	70	34	10	17	37 828	48 835	13 015
61	82	65	28	31	104 821	114 129	39 193
71	21	97	217	232	687 478	680 253	175 967

importations et les réserves internationales, et la moyenne pondérée en fonction de la population à la mi-1976 pour tous les autres indicateurs.

La liste des pays au sein de chaque groupe défini ici selon des fourchettes de revenu figure en annexe IV.

SOURCE : Statistiques extraites de *Agenda 1977,* Overseas Development Council, Praeger, New York, (USA).

compte d'autres indicateurs tels que les taux de natalité et de décès, le niveau d'alphabétisation et d'éducation, l'espérance de vie, les disponibilités en ressources naturelles, enfin l'accès aux marchés commerciaux d'autres pays. C'est ainsi que, même si les recettes pétrolières de l'Algérie ont porté son revenu par habitant à 710 dollars en 1974, les autorités de ce pays s'inquiètent du taux de mortalité infantile qui demeure élevé (126 décès d'enfants de moins d'un an par 1 000 naissances vivantes).

De même, bien que l'Inde et le Sri Lanka aient des revenus par habitant pratiquement égaux (140 dollars pour la première contre 130 dollars pour le second), les deux pays diffèrent de façon marquée quand on compare leurs taux de mortalité infantile, d'alphabétisation et d'espérance de vie. Ces différences sont visibles dans l'indice de la qualité physique de la vie. Pour le Sri Lanka, par exemple, il est de 83, alors que pour l'Inde, il est de 41.

Nous sommes également amenés à constater que si dans les pays en développement le nombre total d'habitants qui ne savent ni lire ni écrire est passé de 701 millions en 1960 à 756 millions en 1970, on observe en réalité une diminution du pourcentage des analphabètes puisque le taux en est passé de 59 % en 1960 à 50 % en 1970. Malgré cette amélioration globale, l'analphabétisme demeure un problème majeur pour les femmes. En 1970, environ 60 % de toutes les femmes (contre 40 % des hommes) des pays en développement ne savaient ni lire ni écrire.

Développement endogène et ouverture au monde

Remédier à une situation sociale aussi préoccupante exige fondamentalement un développement *endogène,* appelant une nouvelle structure de la production interne — réorientation du choix des secteurs d'activités — et une nouvelle politique sociale — réorganisation des services.

Cela n'exclut pas l'ouverture vers l'extérieur, mais elle doit constituer un complément planifié, c'est-à-dire maîtrisé, à la stratégie de développement endogène.

S'il rejette les lois de l'échange inégal — détérioration des termes de l'échange, extraversion de la production, faible valorisation sur place des matières premières —, le commerce extérieur constitue une composante plus importante pour les perspectives de développement des nations pauvres que l'aide ou même l'investissement.

Il importe de faire ressortir les différences que l'on peut relever parmi ces pays et, d'autre part, entre ces pays et les pays industrialisés pour ce qui concerne le montant des devises dont ils disposent grâce à leurs ressources naturelles et à leurs différentes capacités d'exportation.

En 1975, comme le montre l'annexe II, les exportations totales des économies de marché développées se sont chiffrées à 580,5 milliards de dollars, représentant 66 % de la valeur des exportations mondiales. En revanche, les exportations des économies de marché en développement de la même année se sont élevées à 211,2 milliards de dollars, soit 24 % seulement du total mondial ; les pays de l'OPEP, à eux seuls, ont représenté plus de la moitié (113,9 milliards de dollars) de la valeur des exportations totales des pays en développement.

Il n'est pas sans intérêt de noter que la composition des échanges commerciaux diffère selon les groupes de pays. Bien que les économies de marché développées fournissent 38 % des exportations mondiales de produits primaires (y compris les combustibles), ces produits ne représentent que 24 % de la valeur totale de leurs exportations ; les articles manufacturés constituent près de 75 % des exportations des économies de marché des pays industrialisés et 57 % de celles des économies centralement planifiées. Au contraire, près de 83 % des exportations des économies de marché en développement sont composées de produits primaires, les articles manufacturés constituant la plus forte proportion des importations.

Si nous intégrons cette situation générale — besoins sociaux non satisfaits, échange inégal — dans la réalité quotidienne de chaque pays et *groupe de pays*, une micro-analyse nous permet de mieux connaître par exemple la population concernée, son taux de croissance, les migrations intérieures et extérieures, la structure professionnelle et le taux d'emploi, la structuration en couches sociales et en niveaux de revenus. Une telle analyse aidera à dégager des aspects mesurables comme le niveau biologique, technique, scolaire, résidentiel, culturel et même civique.

En situant en effet une population dans son environnement (structure physique du pays, qualité des sols, climat, structures agraires...), on appréhende les conditions locales du développement sans lesquelles il ne peut y avoir progrès. « L'élévation humaine, dit L.-J. Lebret, se fait à partir de ce qui est. » Les éléments qui se dégagent dans un tel éclairage permettent de déceler les facteurs de déséquilibre : historiques, géographiques, techniques, économiques et politiques, qui sont autant de handicaps à surmonter. Un exemple : dans plusieurs pays du tiers monde, même les plus pauvres, les dépenses militaires dépassent en proportion celles pour l'éducation et la santé. Nous participons collectivement à ce gaspillage universel qui fait que chaque *heure* de chaque *jour*, 35 millions de dollars sont dépensés pour les armées, soit 300 milliards de dollars par an en 1975. Alors que pour satisfaire les besoins essentiels les plus urgents, de nombreux experts conviennent qu'il ne faudrait que 15 milliards de dollars pendant les dix prochaines années, soit vingt fois moins.

Il y a pire : la course effrénée aux armements suscite une demande de plus en plus accrue de matières premières diverses : bauxite, cuivre, fer, plomb, manganèse, pétrole, minerais rares, qui proviennent pour la plupart du tiers monde. Les pays qui tirent leurs ressources de cette situation ont naturellement intérêt à ce qu'elle dure. C'est précisément le tragique de notre temps, que F. Perroux caractérise en un angoissant triptyque : population, armes, subsistance.

Besoins essentiels et régime de stricte économie

A partir de cet exemple, on peut mieux saisir l'importance des facteurs de déséquilibre et la valeur d'une stratégie de développement fondée sur les besoins essentiels.

En 1969, M. David Morse, qui venait de me désigner aux fonctions de sous-directeur général du Bureau international du travail, m'avait notamment confié la charge de superviser le département des conditions de travail et de vie. Cela me fournit l'occasion d'une expérience fort intéressante, directement liée à la stratégie des besoins prioritaires.

Il s'agissait d'organiser plusieurs enquêtes sur le terrain, en Amérique latine et en Asie, permettant de déterminer d'abord les objectifs principaux qui répondaient vraiment aux aspirations des populations concernées. Un de mes collaborateurs entreprit, dans le cadre de cette enquête, d'interroger directement les gens de la base (paysans, femmes au foyer, jeunes, syndicalistes, etc.) et de confronter leurs réponses à celles des administrateurs des services du Plan dans les capitales des pays concernés.

Bien que les détails de l'enquête soient demeurés confidentiels, les conclusions auxquelles ce travail a abouti étaient que souvent dans la capitale les planificateurs avaient les yeux fixés sur la comptabilité nationale, la balance commerciale, la productivité, et qu'ils étaient soumis aux pressions organisées de l'intérieur ou de l'extérieur par des groupes ayant quelque puissance... En revanche, les réponses des paysans et de certaines catégories de travailleurs dans les villes suggéraient nettement une autre approche, que je résume ainsi :

1. Nécessité pour tous de *travailler* de manière intelligente et organisée pour accroître la production de biens et de services essentiels dans le cadre d'une croissance économique maîtrisée.

2. Priorité à l'amélioration de façon sensible des conditions de vie de la population sur une période déterminée dans les plans de développement.

3. Nécessité de créer des emplois en vue de donner à la majorité de la population les moyens solvables pour la satisfaction de ses besoins.

4. Nécessité de structurer et d'intégrer les activités économiques de manière à opérer une répartition plus équitable des revenus.

La stratégie ainsi résumée est bien celle qui a prévalu dans les diverses instances et qui s'est trouvée particulièrement privilégiée à la conférence mondiale de l'emploi en 1976 : couvrir d'abord les besoins essentiels (8) sur le plan privé comme sur celui de la consommation publique. Et je tiens à rappeler ici, comme je l'indiquais déjà au début de cet ouvrage, que, dans mon esprit, la « satisfaction des besoins *essentiels* » correspond à la « *maîtrise* sociale des besoins ».

Tous les secteurs de la population se trouvent immédiatement visés par cette stratégie et plus particulièrement les individus et groupes ayant un revenu inférieur au minimum vital.

Les actions à mener pour réaliser de tels objectifs se situent également sur plusieurs plans. Elles consistent principalement à changer le mode d'utilisation des ressources productives et le type de croissance :

— par des investissements importants dans la production de biens et de services à plus fort cœfficient de main-d'œuvre ;

— par l'introduction de techniques appropriées pour accroître

---

(8) Voir notamment Francis Blanchard, directeur général du Bureau international du travail, « L'emploi, la croissance et les besoins essentiels » : rapport à la conférence mondiale tripartite sur l'emploi, Genève, 1976.

la productivité de tous les travailleurs, y compris les plus démunis ;

— par l'utilisation accrue des ressources naturelles locales pour une production utile.

Le modèle de répartition du revenu se trouve immédiatement affecté pourvu que les planificateurs suggèrent des décisions qui permettent de :

a) donner au plus grand nombre une formation professionnelle adéquate ;

b) répartir plus équitablement la propriété du sol et les possibilités d'accès à la terre.

Tout cela suppose des réformes institutionnelles permettant la participation effective de la population aux grandes décisions et le soutien accru de l'Etat aux réformes de structures.

Quand on sait combien une telle stratégie dépend des courants économiques mondiaux, on comprend mieux sans doute la nécessité d'établir de nouvelles relations internationales et d'instaurer une collaboration plus étroite entre pays du tiers monde.

Si les objectifs sont de satisfaire les besoins essentiels de tous par l'action de tous sur les ressources de la terre qui appartiennent à tous, je ne vois guère qu'une politique pour atteindre de tels objectifs, celle que les Chinois ont appelée *le régime de stricte économie,* fondé sur le développement collectif autocentré, celui qui s'appuie sur trois critères : compter sur ses propres forces, sur ses propres ressources et sur les capacités créatrices de son peuple.

Le régime de « stricte économie » n'est pas un plan d'austérité dans le style d'une politique conjoncturelle qui demande des sacrifices épisodiques et non voulus. Le régime de stricte économie au contraire doit être conçu, exprimé et appliqué dans une perspective à long terme.

C'est Mao Tsé-toung lui-même qui l'a exposé pour la première fois dans le discours qu'il a prononcé à la onzième session de la conférence suprême d'Etat, le 27 février 1957 : « Nous voulons entreprendre une édification de grande envergure, mais notre pays est encore très pauvre — il y a là une contradiction. Un des moyens pour la résoudre, c'est de déployer des efforts soutenus dans l'application d'un régime de stricte économie embrassant tous les domaines. Il faut créer davantage d'entreprises, de petites et de moyennes dimensions, travailler le plus économiquement possible, faire plus de choses avec moins d'argent, lutter contre le gaspillage dans tous les domaines de la vie du pays. »

C'est là une politique simple et cohérente. Parce qu'elle est simple et cohérente, elle est difficile lorsque des habitudes sont prises de ne pas savoir vivre de peu, de mendier, de dilapider, de ne pas savoir imaginer d'autres modèles et d'autres pratiques.

Les cosmogonies africaines soulignent que la vie est un cycle où tous les êtres dépendent les uns des autres. Plus on monte dans la hiérarchie des espèces, plus une intégration vitale se produit. On pourrait représenter cette interdépendance par une pyramide dont la base serait le règne végétal sur lequel s'appuie l'espèce animale, l'homme occupant le sommet de la construction.

Cette analogie suggère que le développement se base sur le monde rural, là où vit la grande majorité de la population des pays pauvres.

L'objectif prioritaire, la satisfaction des besoins essentiels de l'homme, ne peut être atteint dans un développement autocentré que si, comme la pyramide biologique, la construction sociale est soutenue par la large assise d'un secteur rural non écrasé et vigoureux.

Pour une agriculture hautement nutritive

Lorsque l'on évoque la promotion du monde rural, c'est généralement en fonction de son aptitude à produire davantage et non en termes de richesse humaine et de développement des paysans eux-mêmes. Souvent, comme je l'ai évoqué, il existe une incompatibilité entre les objectifs économiques officiels et les objectifs sociaux à la base.

Désormais, il s'agit de les concilier. Les moyens de « faire plus de choses avec moins d'argent » seraient de mieux utiliser les ressources existantes, d'augmenter et de diversifier la production, de réduire les pertes dans la récolte, le transport, la conservation des denrées.

Au niveau d'un village — ou tout au moins d'un groupe de villages connexes —, on devrait chercher à cultiver tous les produits nécessaires à une diète équilibrée, dans un souci d'autoconsommation maximale, à condition bien sûr que les plantes soient adaptées aux sols et avec un souci constant de protection de l'œkoumène et de reconstitution de l'équilibre biologique de la terre elle-même. Les hommes ne s'installant que dans des sites qui offrent pour eux des possibilités de subsistance, les zones surexploitées et dégradées irrémédiablement sont de toute façon abandonnées.

Il ne s'agit pas de décréter que tous doivent se nourrir de la même façon. Mais l'économiste, le nutritionniste qui interviendraient pour déterminer le minimum à fournir devraient absolument tenir compte du milieu écologique et des traditions de la communauté concernée.

Quelques semaines avant sa mort, Josué de Castro, qui venait de fonder à Paris le Centre international pour le développement, eut avec moi un entretien que j'ose qualifier d'essentiel.

« Si vous êtes un jour appelé à porter un diagnostic sur le degré de développement d'un pays non industrialisé, me disait-il, prenez donc la liberté d'interroger le régime alimentaire du premier ministre ou du chef de l'Etat. Si, au palais du gouvernement, le chef cuisinier est un étranger — européen de surcroît —, vous pouvez déjà tirer une première conclusion sur le degré de confiance accordée aux talents culinaires des femmes de ce pays ou de tous ceux qui peuvent assurer correctement un rôle aussi important que significatif... Si en plus les menus sont confectionnés sur le mode : caviar Malossol, toast melba, velouté Victor Hugo, aiglefin parfumé aux câpres, filet de bœuf Wellington, et si les plats du pays ne viennent que comme un divertissement, une fantaisie de week-end, alors tremblez pour votre mission. Vous pouvez craindre en effet que le pays soit embarqué dans une voie de développement qui ne favorise ni les ressources locales, ni les besoins essentiels des populations. Car de la table du président à celle de ses domestiques, et de ceux-ci à leur famille et à leurs amis, l'orientation sera de rechercher un régime alimentaire « noble ». Chacun au marché voudra faire de temps en temps « comme » le boy du président. Et c'est ainsi qu'un jour on se bousculera devant les boulangeries pour un peu de pain de froment... »

« Si, par contre, poursuivait Josué de Castro, à la table du président, même lorsqu'il reçoit des personnalités étrangères, on préfère l'igname à la pomme de terre, si l'on sait faire honneur au maïs, au mil, au manioc, au niébé, alors, oui, les ressources locales sont certainement valorisées et le paysan a quelque chance de participer à un développement qui le concerne vraiment. »

Ainsi me parlait dans son modeste appartement parisien où il avait dû terminer ses jours le prestigieux auteur de la *Géopolitique de la faim*. J'avais le sentiment de recueillir alors un véritable testament que je ne pouvais garder pour moi seul. Et, pour appuyer ces propos, je tiens à indiquer que dans la nombreuse documentation que je reçois chaque jour sur le tiers monde, ses hommes et ses problèmes, j'ai remarqué récemment une brochure fort instructive. Elle a pour titre : *Cowpeas Home Preparation and Use in West Africa, Le niébé, sa préparation et son utilisation domestique en Afrique occidentale.* Les auteurs sont trois jeunes femmes africaines du Nigéria et du Sierra Leone, Florence Dovlo, Caroline Williams et Laraba Zoaka, qui ont bénéficié pour leur étude de l'appui du Centre canadien de recherche pour le développement international à Ottawa (9).

Cette recherche nous montre que le niébé (appelé aussi haricot rouge, pois à vache, dolic de Chine), cultivé dans presque tous les pays africains, est une légumineuse fort nourrissante et peu coûteuse, capable de fournir une considérable proportion de protéines nécessaires à la bonne santé.

C'est presque certainement en Afrique qu'a commencé la culture du niébé, et en 1972 l'Afrique produisait 94 % de la récolte mondiale, principalement au Nigéria, en Haute-Volta, en Ouganda, au Niger, au Sénégal et en Tanzanie. Cette légumineuse est largement utilisée non seulement dans les campagnes, mais aussi dans les villes, où son prix toujours raisonnable aide bien des ménagères lorsque la sécheresse, l'inflation et la baisse du pouvoir d'achat des revenus des travailleurs rendent la nourriture rare ou coûteuse. Elle se prête en outre aux plus diverses préparations. Ainsi les boulettes d'akara, faites avec le niébé, sont une industrie locale très répandue dans toute l'Afrique occidentale. Les femmes en ont le monopole, ce qui leur assure de l'emploi dans les communautés rurales, villageoises et urbaines. Si j'insiste encore sur ce produit de qualité, c'est que le niébé a une teneur en protéines de 20 à 25 %, c'est-à-dire double de celle de la plupart des céréales, et l'usage africain de le mélanger à divers produits dans un même plat (riz et niébé, niébé et maïs, etc.) en augmente encore la valeur nutritive (10).

L'insuffisance en protéines est grave partout dans les pays en développement. Certains assurent qu'il faudrait, pour résorber

(9) J'attire également l'attention sur l'excellent petit livre de Jean et Rose Pliya : *Alimentation de santé en Afrique traditionnelle, avec menus et recettes naturistes africains,* Paris, Editions de la revue *Vivre en harmonie.*

(10) Le tableau ci-après reproduit dans le mémoire de Dovlo, Williams et Zoaka, donne les valeurs nutritives du niébé et d'autres denrées alimentaires disponibles en Afrique.

VALEUR NUTRITIVE DU NIEBE ET DE QUELQUES AUTRES ALIMENTS (PLATT, 1962)

	Cal/ 100 g	Protéine (%)	Graisse (%)	Hydrate de carbone (%)	Vitamine A (U.I./ 100 g)	Thiamine (mg/ 100 g)	Riboflavine (mg/ 100 g)	Acide nicotinique (mg/ 100 g)	Acide ascorbique (mg/ 100 g)
Niébé	340	22,0	1,5	60	20	0,90	0,15	2,0	0
Millet (farine)	332	5,5	0,8	76	0	0,15	0,07	0,8	0
Maïs (farine) 96 % extr.	362	9,5	4,0	72	0 [a]	0,30	0,13	1,5	0
Riz (légèrement moulu)	354	8,0	1,5	77	0	0,25	0,05	2,0	0
Sorgho (farine)	353	10,0	2,5	73	0	0,40	0,10	3,0	0
Cassava (farine)	153	0,7	0,2	37	0	0,07	0,03	0,7	30
Igname (fraîche)	104	2,0	0,2	24	20	0,10	0,03	0,4	10
Bambarra, arachide (fraîche)	367	18,0	6,0	60	0	0,30	0,10	2,0	0
Arachide (sèche)	579	27,0	45,0	17	0	0,90	0,15	17,0	0
Soja	382	35,0	18,0	20	0	1,10	0,30	2,0	0
Poisson de mer (filet maigre)	73	17,0	0,5	0	0	0,05	0,10	2,5	0
Bœuf (maigre)	202	19,0	14,0	0	0	0,10	0,20	5,0	0
Œufs (poule)	158	13,0	11,5	0,5	1000	0,12	0,35	0,1	0

a) Maïs jaune, 150 U.I. (unité internationale) (Stanton, 1964).

cette carence, compter sur un accroissement des envois de cheptel, de farine de poisson, d'œufs ou de lait en provenance des pays industrialisés ou d'organismes internationaux. Voilà qui perpétuerait encore la dépendance et maintiendrait une mauvaise habitude de mendicité. Pour une part, dans de nombreux pays d'Afrique, le niébé est un début de solution, d'autant que la recherche de production, notamment celle que mène depuis 1970 le programme d'amélioration des légumineuses à graines de l'Institut international d'agriculture tropicale d'Ibadan (Nigéria) donne des perspectives encourageantes pour la mise au point de variétés de niébé à rendement élevé.

Contre une moyenne de 360 kilos à l'hectare actuellement en Afrique occidentale, on peut obtenir des rendements de 1 000 kilos à l'hectare en conditions favorables dans des régions semi-arides, et même des rendements de 2 500 à 2 900 kilos à l'hectare dans les stations de recherche.

Un autre exemple dans le même domaine : alors que les orangers croissent facilement dans telle zone andine tempérée, ils sont le plus souvent négligés, les fruits pourrissent et ne sont pas consommés. Les agrumes constitueraient une ressource appréciable en vitamine C qui manque dans une alimentation à base de féculents.

Ces exemples tirés de l'alimentation suggèrent une économie qui se fonde sur la valorisation des ressources locales à partir d'une technologie simple, directement utilisable par les intéressés.

DÉVELOPPER LA TECHNOLOGIE VILLAGEOISE

Le rôle d'une « simple technologie de village » est en effet essentiel. Son avantage « c'est d'utiliser au maximum des matériaux *bon marché* qui sont familiers au plus grand nombre et qui sont disponibles pour lui » (11) et, ajoutons-le, souvent mieux adaptés.

Faire bénéficier 2,5 milliards de personnes, la population du tiers monde qui vit dans des villages, d'une technologie simple, pose de multiples problèmes. L'effort se justifie en tout cas surtout si l'on travaille dans une optique de stricte économie et de participation des peuples à leur propre projet de société.

Il est par exemple des régions où l'absence d'électricité élimine

---

(11) Alan Robinson, chef de la section alimentation et technologie de l'UNICEF.

d'emblée le recours à des outils perfectionnés ; par contre il existe sans doute en ces lieux des connaissances techniques négligées ou tombées en désuétude sous l'impact de la « modernisation » et qu'il conviendrait de réutiliser. Il suffit de terre argileuse, d'eau et d'un socle pour fabriquer des poteries à usages multiples. En mille endroits les calebasses sont plus pratiques que bien des ustensiles importés. L'UNICEF, la FAO, maints organismes publics et privés, des chercheurs du monde entier se penchent sur ces réalisations susceptibles de procurer aux villageois des technologies simples pouvant les aider à différents points de vue : meilleures méthodes de cuisson, de pilage, de moulage, de décorticage des grains de céréales et de graines oléagineuses, séchoirs pour mieux stocker les diverses récoltes, installation ou amélioration des adductions d'eau, domestication des énergies éoliennes et hydrauliques pour le pompage de l'eau et autres usages.

Les sociétés paysannes ont souvent un sens très rationnel de l'adaptation de leur habitat à l'espace et au climat ; il n'y a pas de rupture entre l'homme et son milieu, pas de « perte de connexité » par rapport aux éléments naturels régionaux qui sont utilisés au mieux pour une bonne protection. Les techniques traditionnelles de construction de l'habitat en Casamance permettent d'avoir une nette différence de température *à l'ombre* entre l'intérieur et l'extérieur de la maison.

D'autres exemples ingénieux d'architecture paysanne existent sur tous les continents : villages troglodytes au Mali, tentes des Touareg, maisons sur pilotis des régions rizicoles d'Asie, villages de roseaux des îles flottantes du lac Titicaca. Partout l'homme a trouvé une réponse particulière aux défis posés par les espaces naturels. Mais malheureusement un peu partout aussi les matériaux traditionnels sont remplacés par des matériaux importés.

Couvrir sa maison d'un toit de tôle devient en Afrique un signe de prestige. Mais la tôle transforme le logement en four sous le soleil, ou en caisse de résonance sous la pluie.

Si utiliser des matériaux locaux et les énergies naturelles constitue déjà une opération économique certaine, réutiliser, recycler les produits permet encore d'éviter les gaspillages.

Les déchets peuvent être utilisés pour l'alimentation des animaux domestiques, mais ils peuvent aussi constituer un engrais naturel gratuit non négligeable pour fumer les champs ou encore être transformés en méthane.

« La fabrication du méthane est adaptée aux petites exploitations agricoles : un hectare de céréales pourrait donner une quantité de méthane équivalant à 560 litres d'essence », nous assurent Laurent Samuel et Dominique Simonnet (12).

Dans le domaine de la santé, il est enfin devenu clair que l'on peut améliorer les conditions de vie sans avoir toujours recours à une médecine moderne très coûteuse et plus mythique souvent que réellement efficace.

Etre en bonne santé, on le sait, c'est d'abord savoir faire face de manière autonome aux agressions. La médecine occidentale étudie actuellement les pratiques des médecines traditionnelles. Chaque culture en effet recèle des trésors qui ne demandent qu'à être redécouverts et exploités. L'exemple de l'acupuncture chinoise est le plus connu. En Inde, la médecine moderne trouve un appui dans une ancienne pratique hindoue : l'ayurvédisme ou « science de la vie », qui existe depuis peut-être trois mille ans. Cette médecine tient compte de la constitution psychosomatique du patient, elle insiste sur les mesures d'hygiène personnelle et sociale, préconise des exercices physiques, des herbes médicinales et des éléments naturels (13). L'Inde compte actuellement 400 000 praticiens ayurvédiques qui pour la plupart exercent dans les zones rurales, où ils sont très proches de la population.

Au centre neuro-psychiatrique de Dakar, le professeur Coulomb soigne les malades en se reportant au cadre social et familial où ils ont subi le choc nerveux. Le film *Kodou,* du cinéaste sénégalais B. Samb, illustre bien cette thérapeutique qui est essentiellement africaine.

L'intégration active de la population dans son propre service médical est primordiale.

Mais il ne suffit pas qu'une technologie, même simple, soit efficace, il faut encore qu'elle soit « libératrice ». J'appelle technique libératrice une technique non imposée du dehors, mais souhaitée et acceptée par les populations et même créée par elles et ainsi intégrée dans la pratique d'un groupe ayant un objectif défini. Une telle technique est créatrice de richesse. Elle est, comme on dit désormais, « conviviale » parce que « radicale » — issue du terroir (14).

---

(12) *L'Homme et son environnement,* p. 470, Paris, 1976.

(13) H. Breetveld dans *Nouvelles de l'UNICEF,* « Le droit à la santé. »

(14) Pour Valentine Borremans, le critère principal de la technologie radicale réside dans la possibilité pour des individus ou des petits groupes de produire des valeurs d'usage et de se libérer ainsi des besoins engendrés par les biens de consommation marchands.

Pour le développement de cette orientation, on consultera :

Project for a « Guide to Use-Value oriented Convivial Tools, and

A tous les niveaux, l'esprit inventif, la créativité des individus devraient être encouragés. Ce n'est pas parce qu'on aura inventé par exemple dans un village un certain type de canari-filtre que l'on ne trouvera pas d'autres solutions ailleurs. L'important, c'est de respecter l'autonomie propre de chaque groupe. Le choix d'une société de « self-reliance » implique l'utilisation en priorité d'une technologie intégrée à la réalité sociale, pour une véritable interconnexion entre l'homme et la biosphère. Si elle utilise des moyens simples, cette technologie est loin d'être pauvre ; elle réintroduit au contraire la richesse au cœur du social, richesse de la relation biologique entre l'homme et les éléments naturels, richesse d'un sentiment d'appartenance territoriale, conscience d'avoir une patrie, conscience d'appartenir à un univers humain et social, et finalement richesse aussi du temps de vivre retrouvé.

Murray Brooklin exprime ainsi cette richesse gagnée par la technologie « libératrice » : « Réintroduire le soleil, le vent, la terre — en fait *les fondements de la vie* — dans la technologie, dans les procédés dont se sert l'homme pour survivre, réactiverait de façon révolutionnaire les liens de l'homme et de la nature. Rétablir cette dépendance de telle sorte que chaque groupe humain prenne, à travers elle, conscience de la singularité de chaque région, qu'il prenne conscience non seulement de sa dépendance en général à l'égard de la nature, mais de la façon dont cette dépendance se manifeste spécifiquement dans telle région ayant telle qualité conférerait à ce renouvellement un caractère véritablement écologique. On verrait se former un *véritable système* écologique, un réseau délicatement tissé de *richesses* locales, recevant continuellement les apports de la science et de l'art. A mesure que se développerait un authentique sens de la localité, chaque ressource trouverait sa place dans un équilibre stable, fusion organique d'éléments naturels sociaux et technologiques. »

En fait, dans un régime de stricte économie, l'accumulation préalable du capital ne serait plus un facteur décisif du développement des forces productives. « C'est le travail vivant qui est le facteur directement et immédiatement décisif et dominant, tandis que le travail mort n'est qu'un facteur subordonné et secondaire. » L'une des raisons de la très forte impression que je garde de mon bref séjour en Chine en 1976, c'est notamment l'extraordinaire floraison des entreprises industrielles petites et

---

their Enemies ». Borremans Valentina, Tecno-Politica Doc 77/6, Cuernavaca, Mexico, August, 1977.

moyennes qui, aux dires de témoins, ont « poussé comme des champignons » dans les campagnes. Cet exemple montre qu'il est possible d'aller à l'encontre d'une industrialisation en grandes unités de production de type capitaliste, de rompre avec l'opposition entre les villes industrielles et les campagnes vouées à la seule agriculture (15).

L'AUTONOMIE INDUSTRIELLE AU SERVICE DE L'AGRICULTURE

Compter sur ses propres ressources naturelles et humaines, c'est exploiter tout son potentiel économique. Les économistes du tiers monde, au cours de leur congrès d'Alger, ont mis en cause fort justement la division internationale du travail. Plutôt que de se trouver réduit à vendre ses biens primaires, il est préférable de les exploiter sur place pour les besoins mêmes du pays.

Si le niveau de vie de la majorité rurale de la population s'accroît, le marché intérieur s'élargira, l'industrie trouvera des débouchés. *Le développement agricole peut seul soutenir un authentique développement industriel.* Cela pour trois raisons : le pouvoir d'achat de la population augmentera, l'agriculture fournira à l'industrie des matières premières, et enfin l'industrie apportera à l'agriculture des biens qui lui sont nécessaires. Le bois, les fibres végétales, le cuir, seront transformés pour fournir à la population vêtements et autres biens de première nécessité. Les industries légères productrices de biens de consommation courante se développeront.

Même si on utilise des techniques simples, des matériaux locaux dans le secteur agricole, on ne peut exclure pour développer une production suffisante de la façon la plus avantageuse le recours à l'industrie lourde. Pour construire des barrages, pour irriguer une région, pour utiliser des moyens mécaniques peut-être. Dans un pays où l'on se nourrit essentiellement de riz et si la production nationale est trop faible, on peut envisager trois solutions : importer du riz de l'extérieur, importer des engrais pour intensifier la production, produire soi-même sur place les engrais nécessaires. La dernière formule est la meilleure. Il est peut-être

(15) Le lecteur intéressé à ces questions voudra sans doute se reporter au récent ouvrage de Denis Goulet : *The Uncertain Promise — Value Conflicts in Technology Transfer,* publié en 1977 en collaboration avec Overseas Development Corportion, Washington ; voir plus particulièrement le chapitre 7, « Development Strategies : Basic Options ».

à moyen terme plus économique d'implanter chez soi une industrie chimique si les ressources et l'échelle du pays le permettent.

Ainsi l'industrie appuyée sur l'agriculture formerait le second niveau moins large de la pyramide, tout un réseau d'échanges et de complémentarités existant entre les deux secteurs.

Le développement du secteur secondaire pose trois défis essentiels, en fonction d'un régime de stricte économie, trois types de choix pour une société qui vise la pauvreté pour chacun et la richesse pour tous. Comment utiliser au mieux les trois facteurs de production : la technologie, l'investissement, la main-d'œuvre ?

Arbitrer entre la petite et la grande industrie

Sans pouvoir traiter ici le vaste problème des conditions, moyens et étapes de l'industrialisation selon les pays, leurs ressources et leur taille, je voudrais rappeler deux écueils qui demeurent la source de nombreux échecs. L'un c'est vouloir aller trop vite au mépris des réalités, l'autre c'est se contenter de promouvoir quelques petites activités industrielles au hasard des propositions venant d'un peu partout.

En novembre 1972, j'avais eu la chance de participer au Colloque international sur le développement industriel africain, organisé à Dakar conjointement par le gouvernement du Sénégal et le Centre européen pour le développement industriel et la mise en valeur de l'outre-mer (CEDIMOM). Le colloque était particulièrement intéressant et réussi — notamment parce que des points de vue parfois tout à fait divergents pouvaient s'y exprimer puisqu'il fallait tenter d'harmoniser des positions comme celle de Thierry Mieg, directeur de la Compagnie du Niger français (UNILEVER) et les points de vue de Morad Castel, secrétaire général du ministère de l'Industrie en Algérie...

J'avais pour ma part — et sans le faire exprès — créé un beau scandale à l'occasion de cette réunion en prenant vigoureusement parti contre des propositions de gigantisme industriel qui n'emportaient nullement ma conviction... et je continue d'insister encore aujourd'hui sur la nécessité de respecter les phases et les rythmes selon divers critères :

— ne pas nuire à la production et à la consommation interne des biens alimentaires ;

— savoir utiliser et intégrer les techniques déjà connues ou facilement abordables ;

— dépendre le moins possible de l'extérieur pour les investissements et l'importation de technologie ;

— respecter les phases d'intégration progressive des activités économiques internes.

Les réalités étant celles que nous vivons, il est sans doute possible de tirer quelque enseignement — dans les pays de taille réduite — de l'expérience asiatique d'entreprises industrielles de très moyennes dimensions fournissant l'essentiel des biens nécessaires à la nourriture, à l'habillement, au logement, à partir des matériaux locaux.

La petite ou moyenne industrie est donc à privilégier, valorisant des ressources locales pour des besoins locaux. Elle a une place importante dans la création de valeurs d'usage et l'élargissement de l'emploi. A ce titre, elle doit constituer la densité du tissu industriel.

Mais, parallèlement, il faut envisager des unités de plus grande taille pour certaines branches d'activités, en particulier pour celles se situant en amont des filières de production : on ne peut donc entièrement ignorer l'industrie lourde.

Il s'agit de veiller aux modalités d'implantation de ce secteur, qui risquent d'aller à l'encontre des objectifs mêmes qu'on lui assigne, directement ou indirectement : l'autonomie de l'industrialisation et une formation égalitaire des revenus.

En effet, l'industrie lourde nécessite des techniques très coûteuses qui sont l'apanage actuellement des pays industrialisés. Que l'on fasse appel à l'aide étrangère, à l'emprunt, ou à des firmes multinationales, le résultat est une dépendance plus ou moins forte vis-à-vis de l'extérieur. Cette industrie procure peu d'emplois et nécessite un marché national suffisamment large ainsi que la possibilité d'opérer l'industrialisation qui normalement doit en dériver. Ce seuil technique et cette économie d'échelle existent en Chine, en Inde, au Brésil, mais bien des Etats du tiers monde sont assez peu étendus. Des complexes sidérurgiques par exemple ne pourraient être rentables en Afrique de l'Ouest qu'au niveau supranational dans un cadre panafricain d'industrialisation et de constitution de complémentarités industrielles régionales.

Lorsqu'il me fut donné d'exercer de 1961 à 1963 les fonctions de secrétaire général de l'Union africaine et malgache, la difficulté majeure consistait à persuader les partenaires de l'Union qu'il s'agissait d'en profiter pour structurer une aire de production et de consommation qui ait véritablement un sens. Les petites réalisations dont chacun voulait être le principal bénéficiaire ne pouvaient pas assurer les conditions d'une industrialisation rationnelle. Ce n'est pas une fois seulement que dans des entretiens privés ou dans des circonstances publiques j'ai essayé de faire valoir la thèse que voici (16) :

Par réalisme raisonné, prenons nos pays tels qu'ils se présentent, avec leurs limites peut-être artificielles mais de plus en plus réelles, avec leurs langues multiples et leurs diversités de tous genres. Mais prenons aussi conscience d'une réalité plus intransigeante. Face aux ressources et aux réalisations gigantesques de pays comme les Etats-Unis d'Amérique ou l'Union soviétique, face au labeur patiemment organisé de 800 millions de Chinois, devant la force économique chaque jour plus marquée que constitue le Marché commun européen, à l'heure même où les hommes élargissent l'horizon de la puissance par leurs conquêtes spatiales, les pays africains, s'ils étaient appelés à se maintenir dans un nationalisme étroit chargé seulement d'administrer le marché toujours plus réduit de matières premières qui deviennent parfois de moins en moins nécessaires puisque les produits synthétiques sont de plus en plus utilisés, s'ils ne savaient prendre conscience de la nécessité de s'organiser, devraient constater que non seulemet l'écart entre pays riches et pays pauvres irait en se creusant, mais aussi que le continent risquerait de se trouver marginalisé, condamné au rôle de succursale de quelque empire, ancien ou nouveau.

Même si on ne pouvait rêver d'ériger les pays concernés en un grand territoire uni, il m'apparaissait qu'une vraie confédération était sans doute encore possible. Au lieu de quoi nous continuons de traîner cette « balkanisation » qui prend la forme d'un miroir brisé et donne, dirait Sartre (« Les grenouilles qui demandent un roi »), l'image d'un continent « compartimenté, hérissé de barrières, de cloisons, de chicanes où chacun dispute un os à ses voisins » (17).

---

(16) Voir Albert Tévoédjrè, *Pan-Africanism in Action. An Account of the UAM*, Harvard University Center for International Affairs, 1965 ; voir également Albert Ekué, *L'Union africaine et malgache*, thèse de doctorat à la faculté des lettres de l'université de Bordeaux, 1976.

(17) Au point de voir à chaque menace de débâcle économique des expulsions arbitraires et massives de tribus entières d' « étrangers », leurs bien volés ou confisqués au mépris du droit des gens, la cruauté allant jusqu'à jeter hors des frontières, abusivement baptisées de « nationales », femmes enceintes, nourrissons, vieillards aspirant au repos... Et nous disons l'Afrique « humaine et fraternelle » !

Ce que Kwamé N'Krumah appelait alors la « perspective géo-politique » me paraît toujours s'imposer non point par annexions directes ou déguisées, mais par coopération volontaire. Car il s'agissait et il s'agit encore de promouvoir des *connexités viables*, de garder à l'esprit et de faire entrer dans la réalité, comme Hegel (18) l'a enseigné, « le Tout est vrai, seul le Tout est réel », qu'un grand territoire travaillé par un nombre suffisant de bras et d'intelligences pouvant constituer autant de producteurs que de consommateurs reste l'une des clés majeures du développement.

Sans cette condition, les coûts demeurent trop élevés et des échecs plus ou moins connus amènent à sacrifier la production pour les besoins immédiats et la consommation populaire de base.

Nous venons ainsi de montrer la nécessité d'opérer un arbitrage, selon les secteurs d'activités et les types de produits, entre d'une part la petite et moyenne industrie initiée par les collectivités locales et d'autre part la grande industrie, appelant l'intégration régionale sous certaines conditions.

Revaloriser le travail
Développer le secteur productif non structuré

Mais quelle que soit la taille des unités, le souci de la maîtrise du processus de production par les travailleurs eux-mêmes doit rester constant. Les problèmes techniques toujours posés peuvent souvent être résolus par les ouvriers à l'intérieur de l'usine à condition qu'ils aient fait de l'entreprise leur instrument de production et qu'ils participent à sa gestion. La richesse primordiale, ai-je déjà dit, n'est sans doute pas le capital financier dont on dispose, mais la capacité humaine de travailler, de concevoir, d'innover.

Je me référerai encore ici à la Chine tout en reconnaissant que ce pays souffre sans doute, comme toute société, de ses propres contradictions et de limites que l'actualité nous amène parfois à apprécier (19).

Dans l'usine générale de bonneterie de Pékin, un ouvrier explique que « les objectifs de révolution technique sont proposés

(18) Voir F. Hegel : *Ecrits politiques,* notamment « La Constitution de l'Allemagne », Editions Champ libre, Paris, 1977.

(19) Voir *Regards froids sur la Chine,* Editions du Seuil.

par les différents ateliers en vue d'améliorer la qualité, d'élever la productivité du travail, de garantir la sécurité, de diminuer la tension au travail. C'est en général dans ces domaines que sont réalisées les innovations techniques. On pourra ainsi découvrir de nouvelles matières premières, de nouvelles techniques, de nouvelles technologies, de nouvelles installations et de nouvelles méthodes. On cherche toujours ce qui présente le plus d'avantages et occasionne le moins de gaspillage. Les innovations techniques sont un moyen très important pour développer l'industrie » (20).

Et cet ouvrier souligne que « cela vaut la peine de prendre deux ou même cinq ans pour créer une bonne installation. Le plus important est que les travailleurs soient mobilisés et qu'ils trouvent eux-mêmes où l'innovation est nécessaire, car c'est à la classe ouvrière de se libérer elle-même ».

En dehors de l'investissement en travail, l'épargne locale constitue l'essentiel de l'accumulation du capital. Déjà *l'impôt* représente une forme d'épargne forcée qui devrait être davantage utilisée pour des investissements productifs. On dit trop facilement que la capacité à épargner est faible dans le tiers monde. Si tous les capitaux exportés par les classes riches s'investissaient dans le pays et si les importations de produits non essentiels étaient annulées, des fonds substantiels seraient récupérés pour développer le secteur productif. La faiblesse de la production et la misère sont dues en grande partie aux prélèvements de particuliers privilégiés. La richesse nationale mieux utilisée et mieux répartie serait dans la plupart des cas suffisante pour permettre à l'épargne nationale de jouer son rôle moteur dans un circuit économique s'élargissant progressivement, surtout si une autre catégorie d'entreprises, celle des « emplois marginaux » du « secteur urbain non structuré », s'intègre dans le circuit d'une économie autodépendante.

En effet, la multitude de petits métiers qui font partie de la vie quotidienne de la ville, innombrables petites échoppes d'artisans divers, tailleurs, cordonniers, etc., et même certains marchands ambulants, forment un réseau très souple et très diversifié, dont la valeur devrait être reconnue. Certes, il s'est souvent développé tout un commerce parasitaire, faute d'emplois productifs, et qui constitue un important facteur d'inflation en période de

(20) Charles Bettelheim, *Révolution culturelle et organisation industrielle en Chine,* Petite collection Maspero, p. 26.

pénurie. Mais nombreuses sont les activités de base qui offrent des services et des produits simples demandés par le plus grand nombre, et qui à ce titre comptent dans l'économie nationale, bien qu'elles restent mal définies et trop laissées à elles-mêmes.

Les petites entreprises dont il s'agit jouent un rôle important dans la vie du pays. Il conviendrait d'en faire un secteur essentiel parce qu'elles permettent des économies substantielles et sont conçues par des pauvres pour les pauvres. Leurs richesses réelles et potentielles sont patentes ; à différents points de vue, elles sont beaucoup plus avantageuses que les entreprises du « secteur structuré » moderne des villes. Elles utilisent peu de capital et beaucoup de ressources humaines. L'esprit d'entreprise, d'organisation, d'innovation ne manque pas à cette main-d'œuvre nombreuse et « débrouillarde ».

Ce secteur se révèle essentiel aussi dans la création de revenus, et il assure des moyens d'existence à une large proportion de la population citadine : il procure 24 à 30 % de l'emploi total dans les villes du Kenya, plus de 30 % de l'emploi à Abidjan, 25 % à Calcutta et plus de 40 % à Djakarta. Les activités artisanales ou commerciales des pauvres des villes s'appuient uniquement sur les ressources locales, les qualifications professionnelles s'acquièrent « sur le tas » et les échanges sont largement ouverts à la concurrence. Ce genre d'entreprise opère à petite échelle et se satisfait de revenus modestes. Ainsi elles s'attachent la clientèle innombrable des pauvres et mobilisent à des fins productives une épargne dispersée au niveau des couches sociales majoritaires.

Aujourd'hui, ces activités marginales de petite taille complètent l'économie du secteur moderne, qui en profite et parfois les exploite. Les petites gargotes qui se pressent autour des usines évitent à leurs directeurs d'installer des cantines ou des restaurants d'entreprise. Dans les quartiers où les camions ne peuvent pas pénétrer, les livraisons sont assurées par charrette ou pousse-pousse. Dans les localités où aucune entreprise ne veut s'en charger, les réparations de cycles, de machines diverses se font quand même.

Ce secteur non structuré mérite d'être protégé afin qu'il s'organise et s'intègre dans l'économie, ce qui en fera un secteur essentiel, dynamique, et un facteur décisif du développement national.

On peut promouvoir les petites entreprises en les aidant à surmonter leurs faiblesses dues à leur dimension réduite, en leur ouvrant l'accès au crédit, en leur donnant les moyens de perfectionner leurs employés, d'améliorer leurs techniques, et de mieux gérer leurs divers domaines (21). Ce secteur, ainsi développé et soutenu, permettrait petit à petit une intégration plus rationnelle du secteur moderne à l'économie nationale. Un réseau complexe de sous-traitance a été l'une des caractéristiques de l'économie japonaise au moment de son essor. Mais, avant tout, ces petites entreprises s'intègrent parfaitement à l'échelle locale, celle de la vie quotidienne, que ce soit du village ou du quartier urbain.

On assisterait ainsi à une nouvelle répartition spatiale des forces productives qui ne seraient plus polarisées autour de villes de plus en plus étendues et contraignantes. Un mouvement de désurbanisation pourrait alors s'amorcer. Un espace urbain conçu à l'échelle du pas de l'homme, non plus à l'échelle de la machine automobile, enrichirait la vie collective.

Cela requiert bien entendu l'amélioration des voies de communication existantes et la création de nouvelles pour qu'aucune agglomération ne reste isolée. Ainsi, la réalisation du chemin de fer Tanzanie-Zambie fut un défi aux normes habituelles de la coopération internationale, selon lesquelles il était impossible de construire ce chemin de fer. Mais en réalité le Tazara n'a pas été conçu seulement en fonction de l'économie, ni seulement pour permettre à la Zambie d'exporter et à la Tanzanie d'exploiter ses mines du Sud. Il a été réalisé aussi pour éveiller et désen-

---

(21) C'est en effet à propos du secteur non structuré que l'on a parlé de « gestion aux pieds nus ». Michael V.D. Bogaert, directeur du Xavier Institute of Social Service, à Bihar, en Inde, consacre à ce thème un article fort intéressant paru dans *Impact* (périodique édité à Manille, n° d'août 1976). On relève dans ce texte que « l'un des plus grands avantages de la gestion aux pieds nus sera la libération du concept même de gestion ». Au lieu d'être liée à l'entreprise commerciale, à une classe privilégiée ou à un système socio-économique particulier (le système de libre entreprise), la gestion s'universaliserait. E.H. McGrath, cité par Bogaert, va jusqu'à préconiser la gestion pour chacun : « La gestion est une pratique spécifiquement et essentiellement humaine, qui est nécessaire pour tous, dans toute organisation, dans tout système socio-politique. La gestion peut même servir à modifier les régimes sociaux et les relations sociales. Aussi mal que nous le fassions, nous faisons tous acte de gestion. Nous prévoyons et nous fixons des objectifs, nous nous servons d'informations, nous prenons des décisions et nous les appliquons, nous définissons et nous résolvons des problèmes. Nous procédons à des évaluations, nous nous efforçons tous d'atteindre les objectifs souhaités en dirigeant des énergies et des ressources humaines. » McGrath recommande donc que « la formation à la gestion fondée sur l'expérience du travail soit une partie intégrante et essentielle de l'instruction donnée à chaque homme, chaque femme et chaque enfant, ou, en d'autres termes, que la formation à la gestion s'adresse à tous ».

claver sur près de 1 000 kilomètres des régions qui étaient complètement abandonnées ou des régions qui n'avaient aucun lien avec aucun pays, aucun voisin. Aujourd'hui, elles se trouvent promues à une vie qui n'est pas moderne, mais à une vie villageoise modernisée, c'est-à-dire une vie où les besoins essentiels commencent à être satisfaits.

Contre la bureaucratie, donner une chance a la création libre

Une façon d'économiser encore des ressources serait de réduire au bénéfice des populations ainsi désenclavées la paperasserie administrative en simplifiant les démarches. L'hypertrophie bureaucratique n'est pas seulement un « mal » des pays du tiers monde ; mais c'est chez eux que cette véritable gangrène est la plus dangereuse quand elle en arrive à un summun d'absurdité : ainsi par exemple, quand pour se déplacer sur 50 kilomètres il faut des attestations, des visas, des timbres à chaque poste de police, à l'entrée de chaque agglomération. Les tribulations d'un des héros de Sembène Ousmane pour toucher un mandat sont bien significatives à cet égard ; de même l'attente pendant plusieurs mois pour obtenir la carte indispensable pour pouvoir être employé, pour rentrer ou sortir du pays...

Alors que, pour tout esprit sain, identifier les citoyens paraît l'une des premières tâches d'une bonne administration, des rapports internationaux parfois confidentiels indiquent que l'établissement d'une simple carte d'identité devient dans certains pays un véritable problème. Et cela fait la joie de bandits ou d'autres gens douteux pour qui l'anonymat constitue l'aubaine suprême.

L'administration crée des emplois, mais pas directement productifs et parfois parasitaires. Le mythe du col blanc est appauvrissant pour celui qui y croit et qui essaie de se créer un pouvoir sur autrui, bien souvent par des tracasseries ou en lui soutirant de l'argent.

Si tous ceux qui encombrent inutilement de coûteux immeubles de bureaux étaient reconvertis dans des tâches véritablement utiles à la collectivité, ce seraient un enrichissement économique et un progrès social énormes.

Il est certain qu'un tel effort demande des sacrifices matériels des privilégiés du système en place. L'argent doit être « déshonoré » au profit de la disponibilité des biens et services collectifs.

L'essentiel pour arriver à un tel résultat c'est la participation du plus grand nombre de travailleurs possible et non pas la productivité maximale calculée en termes économicistes. Le temps libre, l'activité non rentable sont aussi des biens et un droit fondamental.

Outre le travail productif indispensable, on peut imaginer que le temps de loisirs restant à la disposition des gens puisse être employé pour produire des choses « inutiles » simplement parce qu'elles sont agréables, belles, ou même, pourquoi pas, inoffensives. Dès lors qu'on tient compte des coûts et des bénéfices sociaux, les mots changent de sens : on pourrait alors parler de « production de relations sociales », de « production de beauté ». A ce moment-là, le critère accumulatif n'est plus l'unique juge, on ne réduit plus les activités humaines à leur simple valeur marchande et à leur récupération par le système productif. Aujourd'hui, l'obligation de production finalisée sur elle-même détruit en l'homme beaucoup d'autres valeurs. Ce sont ces valeurs qu'il s'agit de retrouver.

Quand on parle des Africains on dit parfois qu'ils sont les hommes de l'huile ou les hommes du coton. « Nous sommes, réplique Senghor, les hommes de la danse dont les pieds reprennent vigueur en frappant le sol dur. » Cette réplique indique la richesse de la *vie* face à ceux qui ne veulent voir en l'homme qu'un facteur économique, un élément de production marchande.

Un régime de conviviale frugalité fondée sur un développement collectif *autocentré,* mobilisant les énergies des peuples concernés par leur propre devenir, et cela dans le but de satisfaire les besoins essentiels d'une société solidaire avec elle-même, telles sont pour moi les bases d'une autre économie.

Statistiques et recherches au service du bien-être

Cette autre économie n'est pas uniquement quantitative puisque tout ici ne peut se mesurer. (C'est Pareto qui nous avertissait que « l'importance des faits compte plus que leur nombre ; un seul fait bien observé et bien décrit en vaut un très grand nombre mal observés et mal décrits ».)

Cependant, je suis convaincu que des indications chiffrées sont utiles et que le raisonnement n'est finalement scientifique et opérationnellement valable que s'il permet d'aboutir à des propositions générales, bien qu'il faille toujours les adapter aux situations concrètes.

Mais ce qui demande à être chiffré, ce n'est pas seulement l'économie des produits et des profits, c'est aussi et peut-être surtout l'économie du bien-être. On n'y est pas encore arrivé.

L'OCDE, depuis de nombreuses années, avance lentement sur la voie des indicateurs sociaux.

Récemment, aux Etats-Unis, un groupe de première valeur (22) a proposé le calcul du PQLI (Physical Quality of Life Index). Je préfère dire « indice de bien-être populaire ». De quoi s'agit-il ?

La mesure traditionnelle du progrès économique d'un pays — le produit national brut (PNB) et ses composantes — ne permet pas d'apprécier de façon satisfaisante les résultats obtenus en ce qui concerne la satisfaction des besoins des individus.

La nécessité de concevoir de nouvelles mesures du progrès dans le domaine du développement procède des constatations suivantes :

1. Le PNB global et le PNB par habitant ne donnent aucune indication sur la distribution des revenus.

2. Les problèmes conceptuels inhérents à l'appréciation de la distribution des revenus dans une société quelconque sont encore plus complexes dans le cas des pays en voie de développement, dont les économies sont en grande partie rurales et non monétaires.

3. Les mesures monétaires ne donnent en soi aucune indication sur les niveaux de bien-être physique des individus — ce qui est précisément le but que les planificateurs du développement national et international cherchent à atteindre.

Au cours de l'année 1976, l'*Overseas Development Council (ODC)* a étudié diverses stratégies de développement et s'est notamment préoccupé de déterminer dans quelle mesure elles permettent d'assurer les avantages essentiels à toutes les couches de la société. Cette étude a permis de dégager un « indice de la qualité physique de la vie » qui semble devoir être un utile instrument de mesure du progrès général accompli par un pays donné en vue de satisfaire de façon plus équitable les besoins humains fondamentaux de la majorité de sa population.

L'indice de bien-être n'essaie pas de mesurer les nombreuses

---

(22) Voir « Overseas Development Council », *Agenda 1977*, Praeger, New York.

autres caractéristiques sociales et psychologiques que suggère l'expression « qualité de la vie » — justice, liberté politique, ou sentiment de participation. Il se fonde sur l'hypothèse que les besoins et les désirs des individus, au stade initial et au niveau le plus fondamental, sont une espérance de vie plus longue, une lutte plus efficace contre la maladie et de meilleures conditions d'existence. L'indice ne mesure pas le volume des efforts déployés pour atteindre ces objectifs, mais leur degré de réalisation, c'est-à-dire les résultats obtenus. Il tient compte du fait que l'on peut progresser de diverses manières dans la satisfaction de ces besoins minima — en améliorant la nutrition, les soins médicaux et la distribution des revenus, en relevant les niveaux éducatifs et en développant l'emploi.

Aujourd'hui, les pays « développés », grâce aux améliorations obtenues sur de longues périodes, sont généralement capables d'assurer à la plus grande partie de leur population des niveaux raisonnables de ces éléments fondamentaux de l'existence humaine. Les pays du tiers monde doivent quant à eux atteindre le plus rapidement possible un certain degré de satisfaction pour chacun de ces besoins essentiels. Ils y parviendront non pas en reprenant de façon mimétique les techniques et modes d'organisation des pays industrialisés, mais en choisissant les moyens correspondant à leurs ressources et à leur culture propres. Ces moyens sont nécessairement diversifiés, mais ils ont un objectif commun : fournir de meilleures possibilités de développement social à ceux qui en sont le plus dépourvus.

Les travaux de l'*Overseas Development Council* en sont à leurs débuts et des discussions critiques ont actuellement lieu sur la méthodologie et les critères fondamentaux de calcul de l'indice de bien-être. Il est clair cependant que les trois indicateurs de l'ODC — espérance de vie, mortalité infantile et alphabétisation — peuvent être utilisés pour mesurer les résultats d'un large éventail de politiques. On attribue à l'espérance de vie, à la mortalité infantile et à l'alphabétisation des valeurs variant dans une fourchette de 1 à 100, à l'intérieur de laquelle les différents pays se trouvent classés suivant leur performance.

Ainsi, l'expression « en développement » qualifie tous les pays dont le revenu par habitant était inférieur à 2 000 dollars en 1974 et/ou dont l'indice de bien-être était inférieur à 90.

Malgré l'intérêt et la qualité de ces recherches, peut-être faut-il ajouter toutefois que les trois critères retenus sont choisis comme significatifs par des experts américains qui accordent valeur à la vie selon de tels indicateurs. Sans doute faudrait-il les pondérer à leur tour par d'autres indicateurs choisis par des non-Occidentaux en fonction des valeurs et des raisons de vivre dans des univers culturels différents.

Si l'économie aboutit à déterminer et à satisfaire les besoins fondamentaux, si l'on parvient à cet effet à évaluer pour chaque milieu un indice de bien-être populaire et que celui-ci comprenne non seulement la nourriture et le logement, non seulement le vêtement et la santé, mais permette aussi d'apprécier la culture, la sécurité et la liberté de l'esprit, alors vraiment l'économie aura été réinventée (23).

Cela suppose des recherches nombreuses et difficiles. Mais elles sont impératives et urgentes.

Violence des empires et absence de valeurs suprêmes

L'un des plus grands malheurs du tiers monde c'est que la recherche est considérée comme secondaire, qu'elle est négligée, qu'elle appartient aux autres qui ont les moyens et le loisir de « perdre » leur temps dans les laboratoires.

Pour cette raison, toutes les technologies dans la plupart de ces pays sont développées à partir de l'extérieur, et c'est bien pourquoi l'on parle de « transfert » de technologie.

Cette tendance, qui équivaut à la longue à la disparition de toute volonté de développement autonome et d'indépendance, paraît n'effrayer que peu de gens. Au lieu de laisser croupir en prison professeurs, ingénieurs et médecins, au lieu de les encourager à s'installer ailleurs, toujours plus loin, de vastes programmes de recherche pourraient leur être confiés dans des ensembles régionaux viables. Car le développement appartiendra *aussi* à ceux qui auront cherché.

Les empires de la recherche scientifique et technique sont les plus dangereux, comme on le voit dans les pays industrialisés eux-mêmes. De plus en plus, des monopoles se créent, contrôlés par les pays les plus puissants et finalement par un seul. Les aventures et tribulations de « Concorde » sont à ce propos significatives. Que l'avion supersonique franco-britannique puisse

---

(23) Sur cette question on se réfèrera à l'article de J. Joblin (S.J.) sur le thème : « Rôle des droits de l'homme économiques et sociaux dans l'avènement d'une nouvelle société », *Travail et Société,* octobre 1977.

continuer d'atterrir à New York n'est plus le problème. Une chose est déjà claire : compte tenu des pertes subies et malgré de très grands succès, l'avance technologique conquise ne se maintiendra que difficilement et le quasi-monopole de la recherche en ce domaine comme dans celui du « nucléaire » (quoi qu'on en pense) se renforcera ailleurs (24).

Si je parle de réinventer l'économie, c'est pour encourager dans les pays en développement une conscience de la profonde gravité de notre situation dans le monde.

Paul-Marc Henry rappelait récemment que moins de 5 % des travaux de recherche scientifique et technique sont effectués dans les pays du tiers monde. Or il faut se rendre compte que la recherche ne se développe pas seulement dans les laboratoires des capitales. La recherche, c'est aussi l'expérience de tout un peuple, c'est l'observation des paysans, le savoir-faire pratique des ouvriers et des artisans. Et chacun sait l'ingéniosité populaire en tous les domaines. Mobiliser ces forces dans une perspective de recherche collective et coordonnée est une tâche primordiale, urgente et possible. Ici encore on peut réaliser beaucoup avec le peu d'argent dont nous disposons. La stricte économie est source de richesse.

Mais pour développer ce type de recherche à notre portée il nous appartient de *refuser* le monopole, en ce domaine, aux grands pays et aux grandes compagnies, refuser cette nouvelle colonisation technologique qui déjà menace l'Europe elle-même et dont celle-ci nous menacerait bien plus gravement si elle continuait à limiter les possibilités d'accès aux marchés mondiaux de nos produits manufacturés (25). L'empire de la recherche et de la technologie, voilà clairement désigné le plus grand danger, et il s'exprime finalement par les armes les plus perfectionnées pour les destructions les plus massives. Car l'un des paradoxes les plus scandaleux est de voir des pays pauvres et techniquement peu avancés importer les armes les plus sophistiquées qui les

---

(24) Voir à ce propos *La France et ses mensonges*, par F. de Closets, Denoël, 1977. Voir aussi l'article de Jean Boissonnat, *Jeune Afrique*, n° 855, 27 mai 1977.

(25) Réuni à Luxembourg en novembre 1977, le Club de Dakar que préside Mohamed Diawara a précisément insisté sur les abus du protectionnisme de plus en plus en vigueur dans les pays industrialisés et les fâcheuses conséquences que ces dérèglements entraînent non seulement pour les pays en développement, mais pour l'équilibre général de l'économie mondiale.

aliènent totalement aux pays fournisseurs sur tous les plans : technique, économique et politique.

Si nous laissons détruire les capacités de nos peuples à maîtriser leur environnement, à se nourrir eux-mêmes, à fabriquer leurs outils et leurs machines, à construire leurs maisons, leurs routes et leurs moyens de transport, si nous les marginalisons dans la production de l'artisanat de folklore pour touristes, nous détruisons en vérité les chances d'une communauté humaine vivante, nous acceptons le monologue de la technologie, qui est tout le contraire du dialogue de la science et du développement.

Aimé Césaire a justement rappelé dans *Discours sur le colonialisme* un historien célèbre, Edgard Quinet, qui avait perçu avec sagacité le danger de destruction des capacités originelles des peuples, de leur civilisation, de leur créativité. C'est Quinet qui a probablement le mieux exprimé ce qu'est un empire à la phase finale de la désagrégation des cultures et des techniques en une technologie abusivement et provisoirement universelle (26).

Les violences qui se déchaînent sur un monde que l'économie a

---

(26) « On demande pourquoi la barbarie a débouché d'un seul coup dans la civilisation antique. Je crois pouvoir le dire. Il est étonnant qu'une cause si simple ne frappe pas tous les yeux. Le système de la civilisation antique se composait d'un certain nombre de nationalités, de patries, qui, bien qu'elles semblassent ennemies, ou même qu'elles s'ignorassent, se protégeaient, se soutenaient, se gardaient l'une l'autre. Quand l'empire romain, en grandissant, entreprit de conquérir et de détruire ces corps de nations, les sophistes éblouis crurent voir au bout de ce chemin l'humanité triomphante dans Rome. On parla de l'unité de l'esprit humain ; ce ne fut qu'un rêve. Il se trouva que ces nationalités étaient autant de boulevards qui protégeaient Rome elle-même. Lors donc que Rome, dans cette prétendue marche triomphale vers la civilisation unique, eut détruit l'une après l'autre Carthage, l'Egypte, la Grèce, la Judée, la Perse, la Dacie, les Gaules, il arriva qu'elle avait dévoré elle-même des digues qui la protégeaient contre l'océan humain sous lequel elle devait périr. Le magnanime César, en écrasant les Gaules, ne fit qu'ouvrir la route aux Germains. Tant de sociétés, tant de langues éteintes, de cités, de droits, de foyers anéantis, firent le vide autour de Rome, et là où les barbares n'arrivaient pas, la barbarie naissait d'elle-même. Les Gaulois détruits se changeaient en Bagaudes. Ainsi la chute violente, l'extirpation progressive des cités particulières causa l'écroulement de la civilisation antique. Cet édifice social était soutenu par les nationalités comme par autant de colonnes différentes de marbre ou de porphyre.

« Quand on eut détruit aux applaudissements des sages du temps chacune de ces colonnes vivantes, l'édifice tomba par terre et les sages de nos jours cherchent encore comment ont pu se faire en un moment de si grandes ruines ! »

rendu prospère pour les uns, infernal pour les autres, suggèrent qu'il nous faut trouver d'autres voies.

L' « absence de valeurs suprêmes » est la cause, selon Malraux, des dangers dans lesquels nous sombrons déjà. Parmi ces valeurs suprêmes se trouve incontestablement le sens de la recherche, l'intelligence développée pour faire justice à l'homme libéré de l'argent, rendu à la vie véritable et à toutes ses possibilités.

C'est pourquoi j'ai suggéré que nous devrions réinventer l'économie. Cela ne suffira pas. Il faudrait encore *vouloir,* vouloir « changer », et démontrer à nous-mêmes la puissance de la pauvreté.

CHAPITRE IV

« GOUVERNEURS DE LA ROSÉE » OU LA PAUVRETÉ AU POUVOIR

« La terre, c'est une bataille jour pour jour, une bataille sans repos : défricher, planter, sarcler, arroser, jusqu'à la récolte, et alors tu vois ton champ mûr couché devant toi le matin, sous la rosée et tu dis : moi, un tel, gouverneur de la rosée... »

Jacques Roumain.

« Sabedlo, soberanos y vasallos,
proceres y mendigos :
nadie tendrà derecho a lo superfluo mientras alguien carezca de lo estricto ». Salvador Diaz Miron,

(Asonancias, *Poesias : Primera Epoca.*)

[Sachez-le, souverains et vassaux,
Eminences et mendiants,
Personne n'aura droit au superflu
Tant qu'un seul manquera du strict nécessaire.]

J'ai commencé ce livre en rappelant, entre autres, quelques références tirées de la Bible et du Coran. On me le reprochera peut-être. Mais j'obéis à la logique d'une argumentation que j'ai choisie. Le concept de pauvreté acquiert en effet une résonance particulière dans le contexte religieux qui constitue une réalité pour la plupart des hommes — croyants ou non croyants. Je reviens donc à ces sources pour les relier à une actualité significative.

Les hommes que la publicité met sur la scène de notre contemplation quotidienne et... de notre appréciation savent qu'ils doivent toujours se méfier de manquer à une certaine unité d'essence et d'existence.

Si *changer* peut constituer un signe de vie et de développement, il est grave qu'il prenne la forme d'un reniement de soi. Ainsi en est-il, dans mon jugement, de l'impression que je garde de *Marcel Lefebvre.*

A LA RECHERCHE DU POUVOIR PERDU...

Cet ancien missionnaire qui fait aujourd'hui tant parler de lui ignore sans doute que je l'ai écouté avec grand intérêt dans tel collège de Ouidah qu'il visitait parfois. Plus tard, élève et étudiant à Dakar, j'ai vécu pendant quatre années dans « son diocèse ». Et j'étais alors fort touché de la fidélité qu'il prêchait, de l'obéissance absolue qu'il exigeait pour le « successeur de Pierre *quel qu'il soit* », et dont lui-même était à l'époque le représentant officiel pour « l'Afrique française et Madagascar ».

Déjà cependant, presque à travers sa grande piété, perçait en lui un je ne sais quoi qui était comme un mal... celui-là même qui le terrasserait aujourd'hui au point d'atteindre peut-être ses facultés d'intelligence critique envers ses propres dires et ses propres actes. L'évêque qui dénonçait « la seule faute impardonnable, le péché contre l'esprit », paraît avoir oublié quelques-uns de ses vœux de religion...

Pour lui, en effet, semble compter aussi (ou surtout) le Pouvoir qu'*au nom de la Vérité* il exerça comme archevêque, délégué apostolique pour tout un continent, supérieur général — à Rome — d'un ordre religieux, etc. Ce pouvoir, temporel autant que spirituel, marqué de rochets écarlates, de mitres précieuses, de crosses rutilantes, il y croyait si fortement que, quand il en fut dépossédé par les circonstances, ou peut-être aussi par ce refus de dialogue qui, sous des dehors contraires, l'a toujours caractérisé aux yeux de certains, il lui fallut, toujours au nom de la Vérité, un nouveau champ d'action où pouvaient s'exprimer les certitudes qui rendent confortables les dogmes, les croyances et, surtout, les habitudes. Tant pis si, pour cela, on se retrouve côtoyant l' « Action française » et ses dérivés du moment. Tant pis si l'on paraît renier tout ce qui s'appelle vœu de pauvreté ou d'obéissance... L'argent dont on dispose, l'autorité que l'on exerce de nouveau, la publicité qui égare mais rend célèbre, tout cela résout apparemment le problème posé par ces braves gens qui *suivent*... et croient naïvement que toute la question réside dans « la messe en latin », ce latin que, de toute façon, plus guère l'on ne comprend ou ne parle. S'il en avait été autrement, on eût sans doute déjà invoqué, dans le langage des clercs, Virgile et sa célèbre interjection. Mais voici que *L'Enéide* et ses dieux étant parfaitement oubliés, il faut se résigner à avoir l'oreille écorchée par les stances du *Lutrin* qui chantent « les combats et ce prélat terrible » dont les extravagances et les anathèmes feraient bien rire s'ils ne rappelaient *en effet* sérieusement la pire des interrogations : « Tant de fiel entre-t-il dans l'âme des dévots ? » (1).

En danger de contre-développement...

Ce qui arrive ainsi à Marcel Lefebvre, nous l'observons chaque jour dans la vie des sociétés lorsque la passion du pouvoir devient la faiblesse qui obscurcit le jugement, lorsque surtout l'abandon de valeurs premières d'authenticité conduit à la contrefaçon et donc à une vie artificielle *hors du milieu naturel.* Nombreux sont les pays du tiers monde qui en font aujourd'hui la douloureuse expérience.

Il n'est plus nécessaire en effet d'établir le constat d'échec des politiques suivies qui n'ont donné à nos peuples que peu de chances de progrès puisque les réalités concernant la mort, la maladie, l'ignorance, l'intégration sociale, ne fournissent pas des motifs de grande satisfaction. Nous pouvons maintenant le dire : la nature du pouvoir qui conduit nos orientations et anime nos programmes d'action n'est pas souvent en conformité avec les besoins et les objectifs que nous devrions viser. Bien plus, elle illustre parfois, comme on l'a vu, une autre réalité, celle du « contre-développement ».

J'ai insisté dans les pages précédentes sur le culte qui est aujourd'hui voué aux apparences du pouvoir, aux palais, motards, médailles, feux d'artifice, et surtout à l'argent, roi ou dieu consacré. Un journaliste suisse interrogeait récemment, dans une émission télévisée, un paysan de Gruyère sur ce que représentait pour lui la gloire d'une nation, d'une institution, d'une vie. Le brave homme leva les bras au ciel et s'exclama : « La gloire ? Quel boniment ! »

La réflexion mérite attention. Surtout si nous cherchons un champ opérationnel et un instrument de vérité qui libère et permette de construire ensemble une société de cohésion dynamique pour satisfaire les besoins essentiels pour tous. C'est pourquoi il

(1) Cf. Virgile, *Enéide,* I, 11 et Boileau, *Le Lutrin,* I, 1-12.

est impératif que la nature même du pouvoir soit interrogée et qu'elle réponde à nos objectifs.

Le changement nécessaire dépend donc clairement d'une nouvelle volonté politique.

Une analogie me permettra de mieux désigner l'ambition du propos. Nous avons assumé l'héritage d'un mode de pouvoir, le pouvoir colonial dont l'essence provient de la volonté de puissance des nations ; il conduit à des convictions comme celle qui tend à prétendre que la force est fille de la richesse et de l'argent et qu'elle est la preuve ultime de la supériorité. Dans un livre que je considère parmi les plus importants dans ma propre éducation, *L'Arrogance du pouvoir,* l'ancien sénateur américain William Fulbright insiste sur le mal que de telles conceptions ont infligé au monde. Il rappelle par exemple comment les Etats-Unis sont entrés en guerre avec l'Espagne en 1898 dans le but apparent de libérer Cuba de l'emprise espagnole, mais avec pour conséquences finales non seulement de placer l'île sous leur protectorat, mais aussi d'annexer les Philippines, puisque « le Seigneur avait dit au président McKinley que les Américains avaient le devoir d'instruire les habitants des Philippines, de les élever, de les civiliser, de les christianiser... ».

Les Américains de ce temps se trouvaient être ainsi une race conquérante et ils partageaient assez l'opinion d'Albert Beveridge qui proclamait : « Nous devons obéir à notre sang et occuper de nouveaux marchés, au besoin de nouveaux pays, car dans les desseins du Tout-Puissant... les civilisations abâtardies et les races décadentes doivent disparaître devant les civilisations de types d'hommes plus nobles et plus virils. »

Après avoir rappelé ces faits d'histoire, Fulbright souligne combien tout cela entraîne aujourd'hui de conséquences, car l'Américain, notamment à l'étranger, a le sentiment qu'il appartient à la nation la plus riche du monde, et donc qu'il peut se montrer moins bien élevé qu'il ne l'est chez lui-même. Et Fulbright exprime ainsi ce qui m'apparaît être son sentiment profond :

> « Une des raisons pour lesquelles les Américains à l'étranger se comportent « comme si tout leur appartenait » est qu'en bien des endroits c'est à peu près ce qui se passe : leurs compagnies dominent souvent de vastes secteurs de l'économie locale, leurs hôtels et leurs restaurants sont là pour les protéger des influences étrangères, leurs soldats sont peut-être stationnés dans le pays et, même s'ils ne le sont pas, la population est

> sans doute très consciente du fait que sa survie dépend de la sagesse avec laquelle l'Amérique emploie son immense puissance militaire. »

Richesse par l'argent. Bien-être social réservé aux riches. Protection des riches par la puissance des armes. Cette trilogie constitue le pouvoir colonial ou impérial.

Bien entendu, comme le suggère Fulbright, cela conduit au « choc fatal » que riches et forts infligent au reste des hommes. « Les Vietnamiens, écrit-il encore, ont beau en être tributaires dans une grande mesure, la force américaine est un reproche pour leur faiblesse, la richesse américaine une moquerie de leur pauvreté. » Et voici les Vietnamiens conduits à faire travailler leurs femmes ou leurs filles comme serveuses de bar, prêtes à tout pour les soldats étrangers qui donnent beaucoup d'argent. Voici que les chauffeurs de taxi préfèrent « charger » les Américains qui paient tous les tarifs, même les plus fantaisistes. Et voici que servantes de bar, prostituées, proxénètes et chauffeurs de taxi se trouvent élevés en peu de jours au sommet de la pyramide économique. En conséquence, les maisons et les appartements ne se trouvent plus puisque les loyers sont devenus « américains » ; les gens simples de toutes catégories ne peuvent plus assurer leur existence, puisque l'inflation est reine. Alors les temps sont mûrs pour le bouleversement. Un Vietnamien confesse à un envoyé du *New York Times :*

> « Chaque fois que des légions de Blancs prospères s'abattent sur une société asiatique rudimentaire, il y a forcément de la casse. »

Tout s'écroule en effet de ce qui est simple et traditionnel sous le choc de la richesse et de la puissance. C'est vraiment le choc fatal, puisque la grande majorité des hommes veut la dignité et l'indépendance, « non pas l'honneur de quelque rôle subalterne dans un empire américain ».

Le devoir de liberté

J'ai suggéré une analogie. Reprenons-la. De même qu'il a fallu se libérer de la volonté de puissance des nations entendue comme l'impérialisme colonial, car elle signifiait confiscation des biens, accumulation indue de richesses d'autrui, privatisation de ressources collectives ;

— de même qu'il est nécessaire, comme l'indique Fulbright, de sortir de « l'impérialisme de la bienfaisance », de rejeter la poursuite acharnée d'objectifs extravagants qui finit par asservir les hommes et leur dénier le simple droit d'exister ;

— de même également dans chaque pays, et notamment dans les plus démunis, surgit la lutte contre la constitution en groupe dominant d'individus qui accaparent, consciemment ou non, l'ensemble du patrimoine, contre la consolidation d'institutions, de structures qui permettent à quelques-uns de diriger en assurant leur bonheur exclusif et en laissant aux autres l'honneur de quelque rôle subalterne. Cela, en effet, tout cela est désigné pour une liquidation radicale. Celle-ci peut être opérée par une révolution de soi sur soi, par l'apparition d'une nouvelle volonté politique fondée sur ce que j'appelle le *devoir de liberté* (2). La révolution pensée et voulue, c'est précisément : *la pauvreté au pouvoir*.

Une plus longue explication me paraît nécessaire.

En 1964, alors que j'entreprenais des recherches de science politique au centre des affaires internationales de l'université de Harvard, Henry Kissinger nous avait suggéré la lecture de l'ouvrage tout à fait remarquable de Karen Horney : *The Neurotic Personality of our Time*. Dans ce livre, qui date de 1937, l'auteur décrivait les trois périls auxquels se trouve associée la lutte compétitive que mène l'homme moderne pour maintenir un standing imposé par la psychose de l'accumulation.

— L'agressivité, qui devient si prononcée qu'elle est absolument inconciliable avec la fraternité universelle à laquelle, pour des raisons et motivations diverses, nous aspirons tous confusément ;

— Le désir de biens matériels tellement stimulé que manifestement nous ne pouvons le satisfaire, et qui nous conduit aux frustrations multiples ;

— L'espérance d'une liberté sans entraves, à laquelle nous ne pouvons vraiment prétendre puisque l'accumulation et l'agres-

(2) J'attire ici l'attention sur un mot de Françoise Giroud dans *La Comédie du pouvoir* : « ... abdiquer la liberté de l'esprit, à laquelle il faut tenir plus qu'à tout autre bien, c'est abdiquer tout court. » Donc renoncer à sa condition d'homme. Voilà qui n'appartient pas au genre comique. Quelle tragédie, en vérité !

sivité nous imposent des responsabilités et d'innombrables restrictions de temps ou de loisir.

Le corollaire, c'est la violence dans la société ramenée à l'état d'une véritable jungle, c'est le renforcement de la police, de la gendarmerie, de tous les services dits de sécurité.

Nous l'avons vu : en scrutant les statistiques que j'ai invoquées au chapitre précédent, une observation s'est immédiatement imposée. La comparaison des chiffres indique que les dépenses pour l'éducation sont très nettement inférieures, dans toutes les régions du monde, au volume des dépenses militaires. Des exceptions à l'intérieur de quelques régions confirment simplement la règle générale que le pouvoir est à la force et à la violence.

Il serait naïf de penser que l'on devrait éliminer une défense nationale responsable. Et il n'est certainement pas d'autre choix que celui des armes pour des peuples qui s'y trouvent contraints, comme les faits nous le démontrent chaque jour dans toute l'Afrique australe. Mais chacun sait que le problème n'est pas là. Il réside dans une croissance exponentielle des instruments et produits de destruction, et bien souvent dans des pays que nul n'attaquera peut-être jamais. Dans de nombreuses régions, un tel armement forcené est destiné à dominer, à contrôler les citoyens, à les mettre en condition.

Fort heureusement, d'autres exemples existent.

Ainsi le Costa Rica n'a pas d'armée. On me dira que ce pays souffre d'autres problèmes. Il est vrai néanmoins que l'on peut théoriquement — à partir de ce cas — imaginer des pays sans armée, dont les ressources principales serviraient en priorité à des buts positifs de couverture de besoins essentiels.

La force des armes ne fait que garantir en vérité le désir sans fin d'accumulation de biens matériels. Cela nous conduit souvent à un pouvoir corrompu puisque le but poursuivi est celui de la course à l'argent par tous les moyens, y compris le détournement des fonds ou des ressources, les arrangements avec les fournisseurs, les chefs d'entreprise et les directeurs de compagnie, les pourcentages occultes, les compensations forfaitaires pour renseignements fournis aux services secrets étrangers. Il serait facile d'insister et d'étaler des noms, des faits, des dates... Ce n'est pas là notre but. Ce seul rappel suffit à asseoir la conviction qu'on ne peut bâtir une société sur la corruption des dirigeants, la prostitution des écolières et des lycéennes, le vol des biens de l'Etat, la profanation des consciences. Je ne noircis pas le tableau en oubliant des lueurs d'espérance. Je désigne des situations connues et qui caractérisent la nature du pouvoir dans de nombreuses sociétés. Leurs dirigeants, pour préserver les libertés qu'ils s'octroient, abusent en outre de l'autorité pour installer dictatures et fascismes. Et voici dès lors défiler le long et hideux cortège des emprisonnements, des tortures, des meurtres et parfois des carnages. Inutile de décrire ou de préciser davantage : chacun est averti. Périodiquement la Commission internationale des juristes nous informe, nous met en garde et parfois mobilise notre attention (3).

Ce pouvoir de style « nouveau riche » a besoin pour durer d'étouffer l'information et l'esprit critique. Des gouvernements décident de contrôler ce que lisent « les enfants » qu'ils subjuguent et ils censurent livres, journaux, programmes d'études. On est revenu au temps de l'inculture délibérée (4).

En vérité, on répète Georges Hardy : « Un enseignement qui s'installe aux colonies ne saurait être trop modeste. Le danger n'est jamais d'enseigner trop peu, c'est d'enseigner trop... » Mais l'enseignement n'est pas seulement affaire d'école, c'est aussi une opinion éclairée. Or, par dénonciations directes ou indirectes que la commission internationale des droits de l'homme ne peut pas toujours tenir secrètes, il est connu qu'en manipulant les faits, les idées et les croyances nous méritons parfois les médailles de la médiocrité et de la bêtise que nous justifions tout naturellement en débitant quelques slogans pompeux vite baptisés de « révolutionnaires »...

Ces slogans ne suffisent pas en effet à produire les résultats annoncés ou voulus. Alexis de Tocqueville avait déjà dénoncé le jeu des « apparences » du pouvoir se confondant avec l' « aspect extérieur de la vigueur qui peut quelquefois soutenir un corps débile, mais le plus souvent achève de l'accabler ».

Si les philosophes ne peuvent pas accéder au pouvoir, qu'alors

(3) Dans un livre récent, *La Philosophie africaine* (Maspero, 1977), Paulin Hountondji écrit : « Quand se resserre partout l'étau de la terreur, celle qui vous coupe le souffle et vous dessèche la gorge, quand toute parole devient périlleuse, exposant aux pires sévices et pouvant, à la limite, coûter la vie, quand triomphe partout l'insolence des appareils d'Etat néo-coloniaux, avec leur cortège d'intimidations, d'arrestations arbitraires, de tortures, d'assassinats légaux, tarissant à sa source toute pensée véritable, l'idéologue officiel éructe, satisfait : nos ancêtres ont pensé, alléluia ! » (p. 239).

(4) « Si bien, écrit encore le même auteur, si bien qu'il faut craindre sérieusement qu'on n'en arrive bientôt, au nom du marxisme, à nous interdire de lire Marx. » (p. 257).

les gouvernants se fassent initier à la philosophie. Telle était, on le sait, la pensée de Platon, tant il était convaincu de l'excellence de la philosophie pour la direction des affaires des hommes.

Un Etat transparent à l'écoute du peuple

Dans la société, l'Etat est l'instance qui gère le pouvoir et qui, directement ou indirectement, l'exerce aussi. Mais l'Etat n'est pas un être de nature, une entité en soi. Il devrait être la projection matérialisée et structurée des volontés convergentes des membres de la cité pour mieux assumer leur finalité.

Je m'explique en m'appuyant sur un exemple sans doute inattendu : celui de la termitière.

Une termitière est comme un corps — un seul corps — dont les termites ne sont que les membres. Cela signifie qu'aucun termite ne jouit de liberté ; en ce sens, aucun n'est capable d'initiative qui puisse s'écarter de la ligne de conduite d'ensemble de la termitière ou de celle d'un groupe donné de termites — les guerriers par exemple —, étant donné que ce groupe lui-même ne fait qu'assumer un aspect de la finalité globale de l'ensemble. En conséquence, la reine, en tant que « chef d'Etat » ou, si l'on veut, en tant que point focal matérialisé de toute l'énergie de la termitière, dispose de tous les moyens nécessaires à l'accomplissement de son « devoir », à la réalisation des objectifs à atteindre. Des recherches ont permis en effet d'observer que, dans la termitière, toute la vie sociale est réglée à partir de la reine qui, télépathiquement, envoie toutes les informations utiles aux diverses parties qui sont comme autant de membres d'un corps dont elle est le cerveau. Et l'on s'est rendu compte que si la reine était détruite, tuée, les termites cessaient à l'instant même de savoir où aller et que faire ; ils meurent donc eux aussi.

L'exemple que je donne de la termitière non seulement surprendra, mais pourrait appuyer des thèses de gestion et de modèles de société tout à l'opposé de celles qu'en réalité je préconise. Je voudrais rassurer le lecteur et ne tirer de cette analogie rien d'autre qu'une leçon biologique primaire mais primordiale, dégager une réflexion permettant de mieux cerner la nécessité pour le pouvoir *d'être de la même nature que ceux qui relèvent de lui.*

Ce problème de la nature du pouvoir et de ceux qui y participent, quel qu'en soit le niveau, permettrait en effet, s'il était résolu, d'assurer l'harmonie des groupes qui composent nos sociétés. Et l'on comprend mieux que l'analyse d'Alain l'ait conduit à la conclusion que « tout pouvoir livré à lui-même devient fou ». C'est le lieu de rappeler que tout pouvoir pour le pouvoir finit par se détruire lui-même. Il n'y a d'authentique pouvoir humain que s'il est reconnu et s'il est pouvoir au service des hommes.

Dans un pays où la majorité connaît le chômage, la faim, la maladie et l'analphabétisme, le pouvoir, s'il n'est pas enfermé sur lui-même, ne peut qu'être le reflet de cette situation générale. Cette identification avec les besoins de tous lui assure légitimité et base d'action pour les changements de structure nécessaires. Si par contre il est la chasse réservée des possédants qui dominent et des privilégiés qui jouissent, le « choc fatal » se fera contre lui, car, nous avertit *Le Petit Prince,* l'autorité « se fonde sur la raison » — et d'ajouter aussitôt : « Si tu commandes à ton peuple d'aller se jeter à la mer, il fera la révolution. »

Cette idée de « la pauvreté au pouvoir », telle que nous venons de l'appréhender, peut guider plusieurs étapes de réflexion et d'action. Je suggère de réfléchir par exemple sur les trois domaines que voici :

— Simplicité de l'Etat et de son appareil en vue d'une meilleure participation des peuples aux décisions qui les concernent.
— Organisation sociale fondée sur la décentralisation, la gestion autonome et parfois collective des biens essentiels.
— Rôle des structures scolaires et du savoir populaire.

Une politique de développement communautaire autocentrée axée sur la satisfaction des besoins essentiels d'une population implique bien évidemment, la participation de cette population, hommes, femmes, enfants, à tous les niveaux et d'abord au niveau de la localité où ils vivent.

La participation suppose un certain nombre de préalables — une volonté politique des dirigeants, des élites et de la population tout entière, une unité nationale réelle, un dialogue ouvert de haut en bas et de bas en haut, ainsi qu'au plan horizontal entre les membres d'un même groupe ; des structures permanentes d'organisation, d'évaluation et de contrôle ; une éducation et une information larges et générales.

Ces conditions préalables sont liées les unes aux autres et nécessaires toutes ensemble.

Ce ne sont pas seulement les conditions matérielles qui déterminent les progrès des hommes, ce sont aussi les idées. « Les idées justes, dit encore Mao Tsé-toung, deviennent, dès qu'elles pénètrent les masses, une immense force matérielle capable de transformer le monde. » L'option de la pauvreté pratiquée et diffusée par des dirigeants honnêtes et responsables aurait un immense pouvoir de régénération de la société.

La naissance d'une telle volonté politique découle d'une simple affirmation : je veux prendre en main mon destin — et demande de répondre à la multiforme question : de quoi ai-je le plus besoin pour cela ? D'une armée qui sache présenter les armes ? de « Mirages » ? Ai-je plutôt besoin de mon travail ou de celui des autres en liaison avec le mien ?

Si les responsables politiques vivent simplement, sans s'isoler dans des palais luxueux, sans entretenir une cour de dignitaires, alors leur exemple aura pour les gens du peuple une immense valeur. Ceux-ci s'apercevront qu'ils ne sont pas les seuls à faire des efforts, des économies, mais que véritablement la pauvreté est vécue ensemble et partagée par tous.

A cet égard, le petit Etat de Papouasie, ex-Nouvelle Guinée, a montré récemment un exemple de probité en refusant que quatre ambassades s'installent sur son territoire en raison des frais trop élevés que cela aurait entraînés pour le pays.

Le gouvernement de Papouasie, ne disposant pas de ressources pour « s'accommoder » de nouvelles missions diplomatiques, a en effet refusé à l'Union soviétique, à la Chine, à la France et à la Corée du Sud la permission d'installer des ambassades dans sa capitale Port Moresby, car la taille du département des Affaires étrangères devrait être doublée pour soutenir de tels accroissements (d'effectifs et de dépenses).

S'il n'y a pas, au niveau des dirigeants, la volonté de partager la pauvreté, de montrer l'exemple, alors le peuple ne prendra pas au sérieux les déclarations d'égalité et de fraternité. Mieux, il sait vite reconnaître la sincérité des propos et des intentions. Une rapide promenade au marché informe souvent davantage l'étranger qui peut parler la langue du pays sur l'état d'esprit d'une communauté villageoise ou urbaine que bien des entretiens dans les bureaux de la capitale.

Lorsque les épouses de ministres ou de hauts fonctionnaires de quelque pays que ce soit cessent d'aller elles-mêmes au marché, elles se coupent radicalement d'un fil de communication qui me paraît l'un des plus importants dans nos sociétés. Par là même, elles ne rendent pas service à leurs époux dans l'exercice des fonctions qu'ils assument. C'est précisément un homme politique d'expérience, Joseph Fontanet, qui, dans un récent ouvrage, *Le Social et le Vivant,* met l'accent sur cette structure de communication à la base :

> « La cité grecque, écrit-il, est incompréhensible sans l'existence de l'agora ; Rome est incompréhensible si l'on ignore délibérément le rôle du forum. Car l'agora, le forum et le marché sont d'abord des lieux de rassemblement, c'est-à-dire des carrefours d'échange d'informations... Sur la place du marché s'échangent les produits, se fixe le cours des prix, se transmettent informations et rumeurs concernant les déplacements du roi, la désignation des responsables, l'évaluation des rapports de forces. Et, directement, cet ensemble, que l'on peut désigner du nom de « rumeur », influe sur les prix, modifie le dynamisme ou l'absence de dynamisme des échanges, crée en somme l'environnement de ce qui sera ensuite la décision. La rumeur pèse sur la décision et souvent l'anticipe ; la décision alimente la rumeur. »

Voilà qui n'est en rien déplacé dans nos sociétés où le marché accueille le tam-tam et où le tam-tam devient « radio-trottoir » (5). Encore faut-il que le pouvoir soit à l'écoute des rumeurs non pour prévenir les révoltes, mais pour orienter franchement son action selon les aspirations populaires.

Des dirigeants en communication constante avec leurs peuples auraient le profil d'un planificateur qui serait mandaté pour réaliser dans un temps donné des objectifs sociaux précis, discutés par tous, voulus par le plus grand nombre. Les dirigeants politiques seraient avant tout des dirigeants de la vie sociale.

Une planification ouverte a tous

Au plan national, une politique axée sur un développement autocentré se présente comme la planification d'un développement intégral fondé sur les véritables besoins à satisfaire.

Nous avons déjà rappelé que, pour planifier, il apparaît essentiel de faire l'inventaire de ses propres ressources de façon systématique et de fixer des objectifs qui soient avant tout sociaux.

---

(5) Expression désignant en Afrique francophone un genre de rumeur qui anticipe sur les informations officielles. Cette rumeur peut susciter d'intéressants débats... comme elle peut alimenter des conversations futiles, éloignant des vrais problèmes.

Si l'on considère le plan non comme un « Sésame ouvre-toi », mais comme l'instrument d'une politique prospective, puisque gouverner c'est prévoir le futur et non pas naviguer à courte vue, alors il est possible d'éviter l'aventure, les approximations grossières, le gaspillage. Tout pays en voie de développement sait désormais devoir disposer :

— d'un plan de l'investissement et de l'emploi résultant de programmes sectoriels ou régionaux ;

— d'un plan d'aménagement du territoire comprenant des programmes d'infrastructures physiques et sociales ;

— d'un plan d'adaptation des structures gouvernementales et administratives aux exigences matérielles et humaines de la société directement en cause.

Mais la planification veut la souplesse ; elle doit être la référence essentielle, mais ne pas brimer l'initiative et les responsabilités à la base.

Seul un contrat de solidarité entre membres de la communauté nationale peut justifier une intelligente planification pour la satisfaction des besoins essentiels de chacun dans le refus des privilèges et de l'inégalité.

Pour qu'une telle planification soit efficace, elle doit quitter les salles fermées des ministères où elle reste l'apanage de quelques-uns. La participation des populations est fondamentale ; structurée au niveau local et régional, elle englobe toutes les autres formes de participation : participation à la production, à la santé, à l'éducation, à l'étude du milieu. Soumise à une intense action d'opinion, elle doit être populaire. Au niveau local, il s'agit de confronter les besoins ressentis, les projets souhaités avec les objectifs généraux définis au niveau national.

Il est important de créer aussi des organes qui pensent à long terme, non pas des organismes de fonctionnaires pesants et coûteux, mais des institutions qui permettent aux plus anciens, aux plus jeunes, aux femmes, de penser, de s'exprimer et de commencer à planifier l'avenir.

La discussion générale à laquelle on a assisté en Algérie avant l'adoption du projet de Charte nationale paraît répondre à de telles préoccupations où l'on cherche à ce qu'il y ait un dialogue ouvert du peuple avec ceux qui planifient ou qui exécutent, à quelque échelon qu'ils se situent dans la collectivité.

Les moyens du développement sont certes d'ordre technique : on parle de planification des ressources naturelles, de planification de la production, mais seul l'homme est le moteur du développement, en même temps qu'il en est l'objet et la raison d'être finale ; lui seul a le pouvoir de faire fructifier les richesses. Ce sont les hommes qui inventent, créent, organisent, bâtissent. Il est donc nécessaire de placer au rang des priorités la planification des ressources humaines. Cette démarche commence par l'étude démographique qui nous permet d'évaluer quantitativement et qualitativement le premier sujet du développement : l'homme producteur et consommateur, l'être social qui aspire à l'organisation d'une communauté harmonieuse et solidaire.

Nombreux sont les pays en voie de développement qui reconnaissent l'importance du phénomène démographique et traduisent leur intérêt en termes de programmes, d'études de planification dans lesquels les données de population sont intégrées comme autant de facteurs conditionnant le raisonnement et l'action pour le développement économique et social.

La connaissance des phénomènes démographiques et leur maîtrise pour des pays où la population connaît une croissance sans mesure sont essentielles.

Mais toutes les politiques de régulation des naissances ne peuvent être que secondaires par rapport à la priorité qu'est la construction consciente d'une société fondée sur des objectifs voulus ou acceptés par tous. Parmi ces objectifs se trouve en premier lieu la satisfaction des besoins immédiats par un travail qui permet la production de richesses collectives accrues et un partage solidaire toujours amélioré. Si la Chine, par un régime de stricte économie, est parvenue à élever le niveau de consommation des populations, c'est avant tout parce que l'on ne meurt plus de faim dans ce pays. C'est parce que l'on a pu coordonner les efforts de la population pour dominer la misère que la croissance démographique est ralentie. C'est seulement quand une population est préoccupée par l'éducation de ses enfants, quand elle devient responsable de leur avenir qu'elle devient contraceptive. Aucune forme d'action directe ne peut être en elle-même efficace si les conditions ou les perspectives de mieux-être matériel et culturel n'existent pas (6).

---

(6) Voir G. Blardone, *Note de prospective sociale,* « Quelques réflexions concernant la relation croissance démographique — développement », Institut de sciences sociales appliquées, Lyon, 17 mai 1977.

On trouvera également sur ce sujet de très intéressantes indications dans *Population,* « Un choix international », par Rafael M. Salas, directeur exécutif du Fonds des Nations unies pour les activités en matière de population, Pergamon Press, 1977.

La politique, ce n'est pas seulement une technique pour avoir accès ou pour conserver le pouvoir ou pour gérer une économie d'en haut. Une politique c'est surtout la capacité d'un peuple de s'organiser pour avoir les moyens de créer, de critiquer, de réfléchir sur les fins qu'il poursuit, c'est mettre en jeu la responsabilité personnelle de chacun pour gérer selon diverses formes de délégation et de représentation toutes les activités sociales.

En Europe, l'accès privé à la terre ne s'est développé qu'à partir du XVIIIe siècle, à partir du moment où les nobles anglais ont décidé d'enclore les terres dont ils disposaient. « A partir du moment, dit Jean-Jacques Rousseau, où un homme ayant clos un champ s'avisa de dire : « Ceci est à moi » et trouva des gens assez simples pour le croire », naquit la propriété privée. Les physiocrates sont parmi les premiers à avoir conçu l'idéologie de la rentabilité maximale du capital foncier, idéologie qui a entraîné une aggravation de la misère dans les campagnes et a permis de libérer ainsi la force de travail nécessaire à la révolution industrielle naissante, « révolution » rendue possible au prix de l'exploitation des plus démunis.

La fortune des pays industrialisés s'est fondée d'abord sur la misère populaire interne avant de se développer grâce à l'exploitation du reste du monde.

La fortune des privilégiés du tiers monde est basée sur le même processus. La privatisation des biens a tendance à perpétuer l'inégalité.

Par contre, dans une conception démocratique où l'on ferait l'option de la pauvreté pour chacun et de la plus grande richesse pour tous, une organisation différente permettrait de réduire les besoins et de les satisfaire en faisant l'économie des violences que l'injustice ne peut que susciter et répandre.

DÉCENTRALISATION ET PARTICIPATION

Si l'on veut qu'une population participe à une action, il n'est certainement pas conseillé de l'agresser, de bousculer ses habitudes sous prétexte d'obtenir des résultats visibles rapidement. Mieux vaut attendre que chacun se sente personnellement mobilisé dans une programmation établie avec le groupe et par le groupe.

L'étape de connaissance du milieu permet la prise de conscience et l'expression des besoins ; le choix et la formation de cadres issus du groupe sont une condition pour l'autogestion. Mais il en existe d'autres :

— l'appropriation par tous du savoir et des pouvoirs nécessaires au bon fonctionnement de la production ;

— la diffusion des informations par les cadres, les partis, la presse, la radio... ;

— la maîtrise économique assurée, si le coût, l'acquisition et la gestion de l'outil sont à la portée des intéressés.

Pour qu'il y ait prise en charge effective d'une action, il est nécessaire que la population puisse contrôler la gestion de l'opération et la réajuster selon les résultats obtenus.

Il apparaît alors clairement qu'une politique de décentralisation est indispensable dans une optique de développement autocentré où chacun doit être responsable à son niveau de la vie des groupes auxquels il appartient, groupe de travail, groupe spécifique de femmes, de jeunes, communauté villageoise, etc. On le sait, un Etat centralisé sécrète une bureaucratie très lourde qui annihile toute initiative à la base. Au contraire, une structure décentralisée rapproche de la base les centres de décision et libère les énergies créatrices.

La décentralisation vise d'une part à donner aux collectivités de base, aux villageois par exemple, une pleine compétence pour assumer tous les problèmes d'intérêt local. D'autre part, en tant que cellules de base de la planification, les communes contribuent à l'élaboration et à la mise en œuvre de la stratégie du développement et à la régionalisation du plan. Ainsi, en Algérie, l'opération « 1 000 villages » vise soit à reconstruire les anciens villages, les « douars » détruits pendant la guerre, soit à créer des communautés autonomes où chacun pourrait trouver de quoi se loger, travailler, s'éduquer sur place. On cherche à conserver le style architectural des villages tout en aménageant plus d'espaces pour la vie communautaire : places publiques, centres culturels, etc.

La décentralisation n'équivaut pas à un transfert de problèmes. Son danger, c'est que le pouvoir central confie aux assemblées populaires une partie de ses compétences sans leur donner le moyen de les assumer. Si les collectivités locales et régionales n'ont pas les moyens financiers pour concrétiser leurs volontés, les compétences et la liberté de décision ne servent à rien.

Une double difficulté subsiste : les tentatives de décentralisation des pouvoirs courent en permanence le risque d'être utilisées comme des moyens de division. D'autre part, bien qu'elles apparaissent absolument nécessaires, les tentatives de regroupement, d'organisation des faibles courent aussi continuellement le risque d'aboutir à une autre forme de concentration du pouvoir et à sa confiscation par quelques-uns. Le pouvoir devient alors réfractaire à toute remise en question.

Pour pallier cela, il existe toujours et partout des propositions formelles, des règles juridiques, des contrôles, des assemblées. Mais ces garde-fous ne suffisent pas, ils sont facilement réduits à néant s'il n'existe pas une volonté de chacun et de tous d'être vraiment au service de la collectivité. Les règles peuvent facilement être contournées si l'on perd, chez les gouvernants comme chez les gouvernés, une conscience claire du rôle social attribué à chacun et la possibilité de rediscuter de ce partage, de renégocier toujours ces attributions, à la lumière des buts de participation que l'on s'est préalablement assignés.

Le contrôle, la discussion, dans les organisations, partis, comités de citoyens, assemblées ont un rôle essentiel à jouer. Mais j'insiste aussi sur ce côté « utopique » de la proposition : même avec les meilleurs comités de citoyens, la meilleure information entre le citoyen et la classe politique, même si les moyens de dissuasion les plus forts sont en place contre la corruption, rien ne remplace cette autre condition du contrat : *l'honnêteté des hommes au pouvoir*. Outre le contrôle extérieur, il faut un contrôle intérieur. Le dirigeant politique et social est un élément déterminant de la transformation sociale. Si cette « matière première » est pourrie, le résultat ne peut être bon.

Pour que le pouvoir fonctionne de façon satisfaisante, les parties prenantes du contrat social doivent pouvoir périodiquement le remettre en question pour éviter ainsi de tenir pour acquis ce qui ne l'est pas. Dans tout système religieux et philosophique cohérent, la discussion et la remise en question existent sous diverses formes : autocritique, évaluation, etc. Dans la politique chinoise, la révolution culturelle est apparue...

La remise en cause permet la libération qui épanouit. Il importe de l'institutionnaliser. Une société harmonieuse n'est jamais un acquis, elle se conquiert chaque jour.

Si l'on n'introduit pas d'éléments de dialogue, de contrôle, de contrepoids, tout gouvernement est poussé un jour ou l'autre à abuser de son pouvoir. Mais la libéralisation de la vie publique et des institutions n'est possible que si l'éducation des populations vient soutenir leur développement économique. Résoudre les seuls besoins matériels d'une population ne suffit pas à la sortir de la misère. A elle seule la misère culturelle suffirait à rendre aléatoire la pratique de la démocratie.

Le savoir partagé : fondement de la démocratie, levier pour le développement

Aucune volonté politique, aucune adhésion entière à un projet de société, aucun dialogue ne peut exister si une population est maintenue dans l'ignorance. Le pouvoir des pauvres, c'est avant tout leur savoir. On justifie souvent la coercition par l'ignorance des peuples. Il est certain que si aucun effort d'éducation n'est fait, la participation est difficile à obtenir.

Le droit à l'éducation, à la formation est un besoin essentiel au même titre qu'une vie matérielle décente.

Si l'on admet à la suite de Schultz et Galbraith que « nulle part dans le monde il n'existe une paysannerie illettrée qui soit favorable au progrès, ni une paysannerie instruite qui ne soit pas favorable au progrès », l'instruction devient alors hautement productive, à condition qu'on lui assigne un rôle primordial, celui de permettre l'augmentation de la capacité générale et de la valeur des hommes.

Dès 1924, une enquête réalisée par le *Gossplan* en URSS révèle qu'une année d'apprentissage en usine accroît la production d'un travailleur illettré de 12 à 16 % seulement alors qu'une année d'études primaires l'augmente de 30 % et quatre années d'études primaires l'augmentent de 79 %.

En cette année 1924, les crédits de l'enseignement s'élevaient à 1 622 millions de roubles. Or, dix ans plus tard, une étude indique que l'accroissement du revenu national, dû à l'accroissement de la productivité des travailleurs qui avaient reçu seulement une éducation primaire, pouvait s'élever à 2 milliards de roubles. La priorité à la formation générale en URSS, en permettant indirectement un meilleur niveau de qualification professionnelle, a donc constitué le principal catalyseur du développement.

Au niveau du tiers monde, partout les gouvernements font des efforts louables de scolarisation et d'alphabétisation des enfants comme des adultes. L'un des problèmes essentiels auxquels ils se heurtent demeure un système cohérent de formation pour un développement collectif autocentré. Ainsi, la réorganisation de l'enseignement élémentaire devrait être conçue de façon à faire de l'école un centre de développement rural en donnant au maître qui contribuerait également à l'éducation des adultes un rôle mobilisateur dans la collectivité.

Il existe déjà des tentatives dignes d'intérêt. Au Sénégal, l'enseignement moyen vise, en deux ans, à donner aux enfants en milieu rural une formation pratique sur les problèmes de l'agriculture afin qu'ils puissent s'intégrer facilement et travailler dans leur village. Les filles sont initiées à l'hygiène, à la diététique, à la puériculture sans perdre de vue l'enseignement général indispensable.

En Tanzanie, on note des expériences similaires.

M. Julius Nyerere écrit : « Nous avons compris qu'il fallait élaborer une idéologie pour pouvoir continuer ; nous avons complètement modifié les méthodes d'enseignement primaire. Maintenant, on aide d'abord les enfants à connaître leurs problèmes : ensuite ils réalisent seuls que, pour les résoudre, il faut de nouvelles méthodes » (7).

La réforme de l'enseignement doit être entreprise sur la base des facultés à développer chez l'individu, afin de le rendre capable d'agir sur son environnement physique et économique.

Toutes sortes de cadres nationaux sont indispensables pour un développement autocentré et réalisé par soi. Des enseignants, des agronomes, des techniciens de divers ordres, des médecins, des nutritionnistes doivent aider les paysans à consentir un effort pour éviter de se retrouver à chaque carrefour avec les maladies endémiques et la sous-alimentation.

Pour éviter la coupure entre les cadres et la population, il est nécessaire d'insister comme certains pays le font sur une alternance d'activités et sur le jumelage de l'effort manuel et de l'effort intellectuel.

A Cuba, par exemple, les étudiants en médecine exercent à tous les niveaux des professions liées à la médecine dans le cours même de leurs études. Pendant les deux premières années, où ils acquièrent les connaissances de base, ils sont à mi-temps aides-soignants, garçons de salle. Au cours des deux années suivantes, ils deviennent infirmiers, et ce n'est qu'à la fin des deux années terminales qu'ils aident les médecins. Au bout de six ans, ils doivent aller exercer en milieu rural d'abord. Au bout de chaque période de deux ans, ils peuvent arrêter leurs études et reçoivent alors un diplôme correspondant à leur niveau et à l'activité qu'ils sont en mesure d'exercer.

En fait, la plus grande tâche de l'enseignement, c'est d'apprendre à apprendre, c'est d'acquérir les méthodes permettant de faire face aux changements.

---

(7) Cité dans René Dumont, *Développement et socialisme.*

En 1978, un enfant est instruit pour une vie de travail qui se prolongera peut-être jusqu'en 2030 ou plus. On peut supposer dans ces conditions que les techniques nouvelles que le citoyen moyen aura besoin d'assimiler au cours de sa vie seront nombreuses.

La sélection des connaissances, la recherche de l'efficacité qui n'exclut pas une certaine culture générale, le développement d'aptitudes mentales permettant de mieux comprendre les tâches auxquelles il faut se consacrer, ce sont là des données de base qui devraient supplanter des méthodes d'éducation qui, aujourd'hui, préparent mal les hommes à se débarrasser de leur misère.

Le problème de la misère sera résolu grâce à des cadres proches de la population, conscients de leur rôle et des sacrifices à consentir. Si les cadres ne connaissent pas les conditions de vie des plus pauvres, s'ils ne sont pas en étroit contact avec eux, on s'éloigne de l'art du possible pour céder à la révolution ou à la planification en chambre.

Un sociologue de l'Inde, M. Srinivas, constate que, mises à part d'heureuses exceptions, les économistes de son pays étudient le monde rural en s'appuyant sur divers rapports, recensements, enquêtes par sondages, mais « l'idée ne leur vient pas de faire eux-mêmes du terrain... Cette attitude laisse perplexe, car ils sont très désireux de mettre fin à l'exploitation des pauvres... et pourtant ces buts louables ne les invitent pas à entrer en contact étroit avec ceux qui font l'objet de leur sympathie » (8).

Pourtant, c'est peut-être par l'auto-éducation, l'auto-pratique, que l'on apprend le plus. C'est par des débats à tous les échelons et en appliquant dans la pratique ce qui a été débattu qu'un peuple conscient de ses forces peut se développer.

Ainsi, la mobilisation permanente de l'opinion publique rend nécessaires une éducation et une animation au niveau des structures de développement communautaire.

Animation et auto-encadrement : les femmes d'abord...

Le développement communautaire autocentré consiste à tous les niveaux à libérer les initiatives des populations, à les combiner avec celles des pouvoirs publics.

On s'intéresse beaucoup depuis quelques années aux problèmes

(8) Gilbert Etienne : « Le débat sur la pauvreté rurale dans le tiers monde », *Annales d'études internationales,* n° 7, Genève, 1976.

dits d'animation en milieu rural en Afrique, en Amérique latine, en Asie. Les principes de base ont d'ailleurs évolué et on condamne dorénavant certaines formes autoritaires d'intervention dans la vie des paysans pour préconiser de mieux tenir compte des données concrètes, spécifiques à une communauté particulière.

Il est désormais reconnu que la démarche à utiliser dans l'action pour un développement autocentré doit tenir compte de quatre facteurs :

— la connaissance du milieu ;
— l'auto-encadrement ;
— l'organisation de la population ;
— la formation des cadres.

Chaque méthode utilisée doit être le résultat d'une recherche permanente. Il n'y a pas de recette. Chaque pays, chaque région, chaque village, exige un ajustement constant selon les réactions des groupes et les réalités du milieu.

L'expérience d'une action d'animation rurale féminine en République du Niger de 1966 à 1975 peut servir de base à la réflexion sur les méthodes possibles et les contradictions qui peuvent surgir à tous les niveaux (9).

La participation des femmes au développement apparaît au même titre que celle des hommes ou des jeunes comme un élément essentiel de la lutte pour sortir d'un type de développement où le but est l'accumulation des richesses et pour créer une société de pauvreté vécue et partagée ensemble.

Susciter la participation des femmes au développement, c'est pour les Etats garantir leur survie et les chances de construire une société libérée et épanouissante.

Mettre à l'écart les femmes dans les projets de développement, ne pas prendre leurs besoins en considération, les écarter de toute réflexion de caractère politique, empêche au contraire tout progrès.

Pour connaître les femmes et réfléchir avec elles sur leurs conditions de vie et les problèmes qu'elles rencontrent, les cadres féminins du service d'animation du Niger ont donc séjourné dans des villages, pour partager directement la vie locale.

---

(9) *La Participation des femmes rurales au développement,* IRAM, 49, rue de la Glacière, Paris, XIIIe. Sur toutes les questions que j'évoque ici se référant à la participation, l'animation, la décentralisation, un livre très utile est maintenant disponible : *La participation pour le développement* d'Albert Meister, Economie et Humanisme, Les Editions ouvrières, Paris, 1978.

Cette première prise de contact exigea chaque fois l'accord préalable des hommes, qu'ils soient ou non déjà sensibilisés à la nécessité de la participation de leurs épouses. « La femme doit être derrière l'homme, mais elle ne doit pas être trop loin », disaient-ils.

Après l'étude globale pour déclencher l'action, il a fallu réaliser des études spécifiques sur : l'accouchement, l'agriculture, l'élevage, la transformation de l'huile d'arachide, le paludisme, etc. Les résultats des enquêtes auprès des femmes réunies autour du puits, sous l'arbre où elles battent le mil ou dans des réunions de quartier, une fois restitués à la population, ont amené celle-ci à analyser les différentes causes des problèmes et à décider de l'action à entreprendre à deux niveaux : actions propres au village et actions où une intervention extérieure était nécessaire.

Dans ce genre d'opération, deux types d'encadrement sont possibles : soit des cadres au niveau du village, des fonctionnaires du type agents vulgarisateurs, soit un auto-encadrement paysan.

La seconde option est préférable dans une politique autocentrée. En Amérique latine, en Colombie en particulier, on cherche plutôt à trouver les « leaders » naturels d'un groupe pour en faire des ferments d'auto-développement. L'intervention de cadres spécialisés n'est pas exclue, mais elle se situe à un autre niveau : formation des villageois-cadres, appui de leur action, programmation sur des zones regroupant plusieurs villages.

En certains pays d'Afrique, les fonctionnaires interviennent quand se décident les actions à entreprendre pour susciter dans un village le choix de la ou des personnes d'auto-encadrement. Pour l'auto-encadrement féminin, les femmes sont choisies en raison de leur statut traditionnel : femme du chef de village, responsable traditionnelle des femmes ; de leur statut socio-économique ; de leur capacité technique : compétence dans un domaine précis.

La matrone pour les accouchements est souvent choisie pour les services nombreux qu'elle peut rendre.

Ainsi les qualités requises pour désigner la matrone qui partira en formation sont :

— l'expérience, la pratique ;

— l'âge pas trop avancé pour qu'elle puisse apprendre de nouvelles techniques ;

— la discrétion ;

— l'autorité et l'influence ;

— la présence stable dans le village ;

— l'accord du mari.

La formation d'un cadre féminin issu du village est dispensée au cours de stages de courte durée. Une formation générale et concrète porte sur les problèmes vécus dans le village (par exemple, les animatrices agricoles reçoivent des notions sur le sevrage, l'hygiène de l'habitat, le paludisme, etc.).

C'est là le début d'une expérience intéressante, mais elle risque de conduire, si l'on n'y prend garde, à l'accaparement du savoir et du pouvoir par les personnes les plus « riches » dans le système présent.

L'épouse du chef de l'Etat mauritanien, Mme Moktar Ould Daddah, qui s'est penchée sérieusement sur ce genre de problème et dont l'expérience peut constituer une référence, m'a indiqué à plusieurs reprises qu'il est préférable de moins tenir compte des situations acquises ; cela permet de dégager les valeurs de qualité personnelle à la base, chez toutes ces femmes que le rôle de mère a désignées pour des responsabilités incomparables (10).

La priorité de la formation, de la culture, pour s'engager à réfléchir sur son propre mode d'insertion dans l'action du développement et au sens qu'il convient de lui donner, c'est cela qui favorisera la montée du seul pouvoir efficace.

POUR UN AUTRE MODÈLE DE CONSOMMATION

L'Amérique, qui nous a permis grâce aux réflexions de Fulbright d'illustrer l'arrogance du pouvoir, est encore l'un des lieux privilégiés d'où l'on peut observer l'émergence de ces nouvelles valeurs que nous recherchons. Si je ne peux pas du tout suivre Zbigniew Brzezinski (11) lorsqu'il dit : « I think America provides a vista to a future which most people aspire to... », je suis en revanche tout prêt à admettre que, pour qui connaît l'Amérique, il y a sans doute quelque chose de profondément vrai dans ce jugement du même Brzezinski : « I think America does stir the imagination. I think America does challenge established verities. »

---

(10) Voir à ce propos « L'Education comme moyen de corriger les inégalités nées de la division du travail traditionnelle entre les sexes » par Elzea Aventurin (document présenté au colloque « La Femme et la Décision », organisé en novembre 1975 par l'IIES — publié dans Série de recherche n° 23).

(11) Interview, 10 octobre 1977, *International Herald Tribune* (« Je crois que l'Amérique fournit le modèle d'un avenir auquel la plupart aspirent... » « Je crois que l'Amérique excite l'imagination. Je crois que l'Amérique lance un défi aux vérités acquises. »)

Ainsi, sur le terrain de la consommation des biens multiples, Hazel Henderson fait remarquer qu'après avoir accru la demande dans des proportions monstrueuses, grâce aux 20 milliards de dollars dépensés chaque année pour la publicité, les compagnies ne peuvent plus, dans bien des domaines, livrer les marchandises demandées, et on assiste à ce que l'on appelle désormais des campagnes de désincitation (12).

Les compagnies d'électricité ont été les premières touchées en raison du rôle qu'elles jouent dans la fourniture de l'énergie nécessaire à divers autres processus de production et à la consommation de chaque citoyen. Leurs approvisionnements de base — charbon, pétrole et gaz naturel — devenant insuffisants et les prix de ces produits augmentant, elles ne peuvent plus faire face à la fois à la flambée des coûts de la production et à la résistance des consommateurs à l'augmentation des tarifs. De là vient la réduction de nombreux produits électriques. L'hiver 1973-1974 vit l'industrie pétrolière dans une situation analogue. Le paradis de l'essence bon marché se dissipa comme un rêve et le slogan publicitaire le plus payant devint : « Economisez l'essence ! ».

Aujourd'hui déjà des catégories de produits à forte composante de ressources énergétiques sont mises à l'index. Le conditionnement à l'aide d'emballages non réutilisables apparaît de plus en plus comme irresponsable ; les grosses voitures trop puissantes ne trouvent plus preneurs.

Ainsi, lorsque le président Jimmy Carter lance son programme d'économie de l'énergie et donne lui-même l'exemple des restrictions qu'il impose à ses concitoyens, même s'il n'est pas immédiatement suivi, le terrain est déjà préparé. Dans les milieux informés et lucides, on sait que les Etats-Unis représentent 6 % de la population du monde et consomment près du tiers de la

(12) L'expression « désincitation des consommateurs », en anglais *demarketing*, a été introduite par deux professeurs de la North Western University : Philip Kotler et Sydney Levy, dans un article publié dans *Harvard Business Review* en 1971. La définition qu'ils donnent eux-mêmes de la désincitation est la suivante : « aspects du marketing qui visent à décourager les clients en général, ou une certaine catégorie de clients en particulier, soit provisoirement, soit à titre permanent ».

Parmi les techniques utilisées pour décourager les acheteurs, on peut citer : la réduction de la publicité ; la réduction du temps alloué aux vendeurs ou leur affectation à la vente d'autres produits ; l'augmentation des prix ou la suppression des rabais ; l'augmentation du temps et de l'argent nécessaires à l'achat d'un produit, etc.

production mondiale de pétrole (13) : 800 millions de tonnes dont plus de 400 millions sont importées, soit l'équivalent de la production totale de l'Arabie Séoudite. Si la croissance annuelle de la consommation se poursuivait au rythme actuel de 5 %, ce pays devrait importer en 1985 un volume de pétrole égal à 575 millions de tonnes. En fait, les Américains brûlent aujourd'hui 67 % de plus de carburant qu'en 1973, année marquée par la première forte hausse du prix du pétrole. Rappelons de surcroît que la dernière conférence mondiale de la FAO (novembre-décembre 1977), discutant le rapport d'Edouard Saouma, son directeur général, a permis de faire la lumière sur une triste réalité qui inquiète les milieux gouvernementaux américains eux-mêmes : les aliments perdus chaque année aux Etats-Unis représenteraient de quoi nourrir 50 millions de personnes.

Il devient donc urgent d'envisager d'autres finalités productives et, par conséquent, un autre modèle de consommation.

En ce sens, Hazel Henderson a pu montrer que les entreprises qui s'adapteront à une économie en stagnation seront celles qui accepteront de satisfaire les besoins du secteur public comme les transports de masse et le recyclage et qui réduiront au minimum l'utilisation des matières premières en mettant l'accent sur la durabilité plutôt que sur l'obsolescence.

> « Peut-être, *écrit-elle encore,* les sociétés devront-elles aussi se contenter de marges de profit modiques, car les entreprises devront « internaliser » une plus grande part des coûts sociaux afférents à la production et à la consommation. Et comme l'énergie nécessaire aux transports est appréciée de façon plus réaliste, la production surcentralisée des sociétés géantes deviendra moins efficiente que celle des petites entreprises manufacturières, régionales et localisées qui approvisionnent des marchés décentralisés (14). »

---

(13) En comparaison, la Chine, avec 20 % au moins de la population du globe, produit en 1976 environ 3,3 % du volume mondial annuel de pétrole, soit 88 millions de tonnes, dont une petite fraction est même exportée. *Grosso modo,* elle consomme ainsi dix fois moins de pétrole que les Etats-Unis, avec une population 3,8 fois supérieure.

Voir également à ce propos « Is energy conservation in the West detrimental to third world interests ? », document présenté par Ali A. Mazrui à la World Conference on « Alternatives to Growth, 77 », 2-4 octobre 1977, The Woodlands, Texas.

(14) Voir Hazel Henderson, « The Decline of Jonesism », publié dans *The Futurist,* octobre 1974.

Si j'ai insisté sur le cas américain, c'est pour montrer que dans les sociétés réputées opulentes le problème est désormais posé de la pauvreté au pouvoir, que ce n'est pas seulement une question d'économie matérielle qui pousse les uns à utiliser des voitures de faible cylindrée, d'autres à revenir à la bicyclette, et ceux-là à se servir des moyens de transport de masse. Non. Il y a aussi la satisfaction de produire soi-même les fruits et les légumes que l'on consomme, le plaisir de l'exercice physique ; il y a surtout, pour ceux qui le recherchent, l'épanouissement que suscite la libération de l'accaparement et de l'accumulation.

Un sens nouveau a la richesse des nations

Cette puissance de la pauvreté, François Perroux l'avait aussi perçue dans un texte — selon moi exemplaire et peut-être trop vite oublié — qu'il a présenté le 11 octobre 1956 à la Tourette, sous les auspices d'« Economie et Humanisme ». Prenant 1948 comme année de référence, Perroux constate qu'à cette date les Etats-Unis ont un revenu par tête de 1 525 dollars, le Royaume-Uni de 777, l'URSS de 181, la Tchécoslovaquie de 345, la Pologne de 190, la Hongrie de 163, la Bulgarie de 113. Or, sans accepter *l'enrichissement privé,* l'économie soviétique et la coalition qu'elle dirige sont devenues puissantes. Cela n'est pas dû seulement à la contrainte. Une autre raison est la mise en commun des intelligences, une coalition des pauvres qui trouble l'ordre usuel de la « cité marchande ». Et Perroux de conclure en constatant que la puissance de la pauvreté est certainement éprouvée par les pauvres, mais aussi par les riches — tout étonnés de trouver devant eux des pauvres devenus puissants.

« Cette puissance nouvelle fait tache d'huile. Des pauvres ici et là ont vu d'autres pauvres devenir puissants par *des moyens tout différents de ceux de l'enrichissement classique*. Une coalition des pauvres contre les anciens riches et les anciens maîtres s'ébauche dans l'univers entier. Après tant de siècles écoulés, elle est une réponse à la coalition tacite des maîtres, décrite par Adam Smith dans sa *Richesse des nations.* »

Perroux parlait en 1956, en un temps où l'on connaissait bien mal la Chine. Aujourd'hui, il faut l'inclure dans le bilan et justifier ainsi pourquoi Julius Nyerere s'en est profondément inspiré. La déclaration d'Arusha, qui a proposé à la Tanzanie le système de la « self-reliance » en tous domaines, me paraît aujourd'hui, pour l'Afrique et bien d'autres pays du tiers monde, la seule option de bons sens. D'abord, parce que si elle s'inspire de l'expérience chinoise, *elle ne la copie pas.* Elle est nouvelle, tanzanienne, africaine. Elle n'est pas contraignante, mais enthousiasmante. Elle est perfectible, donc non arrogante.

Parmi les dizaines de pays qu'il m'a été donné de visiter, soit à titre personnel, soit en qualité de fonctionnaire international, la Tanzanie est tout de même l'un des rares où une politique officielle proclame clairement ceci :

> « Ce n'est pas l'argent, c'est le peuple qui est à la source du développement. L'argent, les richesses qu'il représente sont la conséquence et non le fondement du développement. Les quatre fondements du développement sont : le peuple, la terre, une juste politique et un bon gouvernement. »

Ce que la déclaration d'Arusha nous apprend, non seulement à travers la modeste brochure éditée récemment à Dar-es-Salaam (The Arusha Declaration, *10 Years After*), mais aussi par les séjours même brefs près des gens simples de ce pays, ce que nous apprenons de Nyerere, ce ne sont pas les statistiques pédantes ou falsifiées, ce n'est pas un palais de marbre ou des titres ronflants, mais tout ce que le courage et la lucidité permettent seuls d'appréhender : des échecs reconnus, un progrès néanmoins soutenu, une dignité non point affirmée par des bavards et des agités, mais ressentie par tout un peuple qui en porte le légitime fardeau ; c'est le travail valorisé, le paysan réhabilité, le réel développement entrepris sans que la torture physique ou morale tienne lieu de système de sécurité, sans que se trouve promu en « religion d'Etat » le culte imbécile de la personne du chef et de ses fantaisies les plus grotesques. Mais attention : « Pas la couleur, rien que la nuance ! » voudra-t-on sans doute me rappeler. Et il est peut-être vrai qu'ici je force un peu le pinceau... ou que j'idéalise beaucoup. Je le fais sans regret, conscient que la Tanzanie sait reconnaître ses limites, ses problèmes et ses contradictions (15). Bien

---

(15) Une réflexion de Nyerere le confirme : « Nous ne nous faisons aucune illusion sur la difficulté de la tâche entreprise. Avec un petit nombre de socialistes, nous essayons d'édifier le socialisme ; avec un petit nombre d'hommes conscients des exigences fondamentales de la démocratie, nous essayons de réaliser le changement par des moyens démocratiques ; avec un petit nombre de techniciens, nous essayons de transformer fondamentalement notre économie. Et avec une minorité instruite, que toute sa formation incite à la poursuite de la réussite individuelle, nous essayons de créer une société égalitaire. »

sûr, les accapareurs gardent leurs distances... et nous pouvons souligner à ce propos que la corruption, c'est le pouvoir confisqué par ceux qui l'exercent. Des amis tanzaniens, avec lesquels j'ai discuté de l'avenir de leur pays, m'ont toujours fait remarquer que tout dirigeant politique est un dirigeant social lié par un contrat souvent tacite, mais non moins essentiel, à un groupe déterminé. Il doit travailler pour atteindre les buts définis par l'ensemble du groupe qu'il représente, mais il peut aussi rompre ce contrat et c'est cela la corruption : la rupture du contrat de cohésion sociale par un homme privilégié ou un groupe dominant.

Extirper du pouvoir corruption et tyrannie

Dans un pays où les besoins sont pressants, où l'urgence de l'action de justice et de solidarité s'impose comme une « foudre de vérité », l'étalage d'une corruption qui s'exprime non seulement par la confiscation du pouvoir, mais par son corollaire, l'accaparement de biens destinés à la collectivité, ne peut que susciter un divorce profond avec le peuple, surtout si certains poussent la déraison jusqu'à assurer à leurs « bonnes amies » ce qu'il est maintenant convenu d'appeler les trois V (villa, voiture, virements). L'une des conséquences de tout cela est l'instabilité gouvernementale entretenue et non pas remise en cause par les divers coups d'Etat successifs.

Je dois dire que divers événements survenus dans plusieurs pays ces derniers mois — en Inde où un ancien premier ministre passe une nuit en prison sous l'accusation de corruption (16), en Syrie où de très hauts fonctionnaires doivent abandonner leurs responsabilités et comparaître devant les tribunaux, etc. —, ces

(16) Il convient à la vérité et en toute justice de reconnaître que l'abandon de la règle de droit, le règne de l'arbitraire dans la manière dont les cadres et les agents de l'Etat se trouvent traités en certains pays favorisent plutôt la corruption... Ainsi, lorsque pour des motifs douteux, voire inexistants, ou tout simplement parce qu'ils portent ombrage aux « politiciens » du moment, des citoyens parfaitement honorables, des cadres et responsables de première valeur se trouvent du jour au lendemain jetés en prison sans jugement, privés de ressources, exilés et parfois condamnés à mort, on comprend que des hommes normalement intègres soient tentés d'échapper à l'imprévision pour eux et leurs familles et se laissent aller à des opérations parfois très irrégulières...

Le respect des droits de l'homme constitue sans doute l'un des meilleurs remparts contre l'arbitraire, qui favorise la corruption que l'on dénonce avec raison.

événements me paraissent pleins d'enseignements qui concernent le thème que je développe ici. Tout récemment, le président Boumediène d'Algérie, dénonçait « les comportements parasitaires et la course à la vie facile ». Il assignait la « priorité à l'intégrité » et soulignait qu' « *il n'y a pas de révolution sans morale* ».

Presque en même temps son homologue de Côte-d'Ivoire, le président Houphouët-Boigny, élevait la voix : « Il s'agit surtout, disait-il, de nous pencher de façon sérieuse sur ce que l'on appelle le mal du siècle — la corruption sous toutes ses formes. » A Abidjan encore se trouve maintenant très affirmée une nécessité partout présente dans cet ouvrage — celle de la gestion du patrimoine national par des cadres nationaux. Ainsi Albert Vanié-Bi-Tra n'est plus seulement ministre du Travail, il est devenu « ministre du Travail et de l'Ivoirisation des Cadres » ... et d'aucuns, dit-on, s'inquiètent déjà pour l'avenir de l' « assistance technique ». En outre, la désignation d'un ministre d'Etat, Matthieu Ekra, pour la supervision des entreprises publiques, indique la préoccupation prioritaire pour une gestion « différente ».

Ces enseignements, que je tire de décisions ou d'événements conjoncturels liés à des situations locales parfois mal connues, renforcent s'il en est encore besoin les préoccupations que je formule ici sur un autre mode de développement. Car certaines situations sont si graves qu'elles provoquent un traumatisme déchirant au niveau des peuples et entraînent en conséquence la tentation pour quelques-uns d'aller jusqu'à regretter la période coloniale elle-même. C'est le lieu de rappeler les imprécations de nos griots dont celui célèbre au Tchad : N'Gon Koutou (plus tard récupéré et proclamé poète national). Le Tchad de Tombalbaye aux heures de son déclin pouvait en effet se résumer en deux mots : misère et fascisme. Il faut aller plus loin et parler de misère absolue et de fascisme absolu. C'est dans cet enfer du désert et de toutes les violences que N'Gon Koutou, avec un courage presque « suicidaire », lance une chanson populaire que tous les paysans reprennent ardemment à travers les youyous interminables des femmes :

> « Eh bien, vous autres, vils agents de Tombalbaye, quand donc retournerez-vous chez vous, dans vos villages, quand laisserez-vous la place aux Blancs, quand donc reviendront-ils pour qu'enfin nous mangions, pour qu'enfin nous respirions ? »

« Les extravagances et macaqueries de toutes sortes » — le mot est de Jacques Roumain — dont certains responsables du tiers monde se rendent coupables aux yeux de tous (et qu'on encourage parfois de l'extérieur) non seulement accentuent le divorce avec leurs peuples, mais font renaître en Europe et ailleurs tous les mouvements qui jadis soutinrent et justifièrent le « relativisme culturel » et la relativisation des cultures au nom desquels la colonisation était vue comme œuvre de civilisation. Les livres de Lévy-Brühl sur « la mentalité primitive » réapparaissent aux vitrines des librairies et un Michel Sardou doit l'un de ses plus grands succès à ce refrain qui célèbre « le temps béni des colonies » ... où à Colomb-Béchar « j'avais plein de serviteurs noirs et quatre filles dans mon lit ».

Les conséquences ne s'arrêtent pas là. Le chômage qui s'amplifie dans certains pays industrialisés, la violence et l'anarchie qui s'y répandent, la nostalgie d'autres temps, tout cela encourage la naissance sous nos yeux de légions étrangères fantasques, où s'engagent de nouveaux conquérants « ivres d'un rêve héroïque et brutal », tels ces grotesques mercenaires qui, aveuglés d'aventures, firent irruption le 16 janvier 1977 en République populaire du Bénin.

Au Tchad, le griot N'Gon Koutou vit encore, scrutant le présent avec inquiétude. Tombalbaye lui, malgré les éclairs des moments où il fut lucide ou fraternel, a déjà payé de sa vie la tyrannie qu'il installa. Et son cas me suggère une interrogation : si tenir au pouvoir conduit à ne pas dormir deux nuits de suite sous le même toit ou à trembler chaque fois qu'un chien aboie ; si exercer le pouvoir c'est détruire les autres par le feu et se faire détruire soi-même, où est donc l'intérêt d'une telle entreprise ?

Je prétends qu'une réponse à cette tragédie se trouve dans l'instauration d'une société de pauvreté dont le pouvoir lui-même donne l'exemple, car les peuples suivent l'exemple de leurs dirigeants.

BATIR LA RÉPUBLIQUE COOPÉRATIVE

Et lorsqu'il m'est demandé comment j'envisage concrètement une telle société, je prends le risque d'indiquer ma préférence pour un véritable « projet coopératif » au sens où Henri Desroche (17) l'entend. Vision d'une société alternative où l'esprit

---

(17) Voir *Le Projet coopératif*, par Henri Desroche, Editions Economie et humanisme, Les Editions ouvrières, Paris, 1976.

d'initiative, l'esprit de rigueur et l'esprit de solidarité peuvent faire épanouir une même communauté.

Je crois en effet que la direction dans laquelle nous pouvons chercher est bien celle qui ne ferait plus du système coopératif des îlots de projets et d'activités de production ou de commercialisation, à côté de systèmes parfaitement incohérents d'exploitation des hommes, de bureaucratisation et de militarisation.

Je crois en la possibilité, notamment dans les petits pays, d'un dessein global qui incorpore l'ensemble des activités de production, d'échange et de gestion au niveau national dans un seul projet coopératif qui serait projet de société.

Ce que les « pionniers de Rochdale » et après eux Charles Gide n'ont pu léguer à leurs sociétés — et ce fut leur grande déconvenue — c'est bien la « République coopérative » que nos propres traditions nous permettent de mieux appréhender.

A notre tour, donc, nous devrions chercher dans cette voie. Les « vertus » de la coopération : mieux vivre, payer comptant, épargner sans souffrance, supprimer les parasites, combattre l'alcoolisme, intéresser les femmes aux questions sociales, éduquer économiquement le peuple, faciliter à tous l'accès à la propriété, reconstituer une propriété collective, établir le juste prix, abolir le bénéfice capitaliste, abolir les conflits, ces vertus, énoncées par Gide, aussi naïves qu'elles paraissent à certains, demeurent le fondement réel de toute stratégie de maîtrise sociale des besoins. Pour cela, nous ressentons la nécessité d'un cadre coopératif global qui ne laisse rien en dehors du contrôle de solidarité.

« Même mal appliquée, même utopique ou mystique, même auréolée de magie, dit fort justement la Brésilienne Diva Benevides Pinho, mieux vaut la coopération que le déracinement de l'exode rural dans la douloureuse souffrance de ceux qui ont rompu leurs liens affectifs communautaires sans pour autant accéder au monde nouveau, masse des sans-travail, des sans-qualifications, des sans-logement, des sans-soins, de ceux qui resteront de passage en route pour nulle part » (18).

L'esprit coopératif fait émerger et prévaloir l'horizon de rapports humains, pas nécessairement totalement transparents ni exempts de conflits, mais des rapports directs de responsabilité à l'égard des autres, de solidarité assumée dans le travail et l'organisation de la production.

---

(18) *Revue des études coopératives,* numéro spécial, 1976.

Cette expérience des relations immédiates avec participation et engagements personnels constitue un aspect essentiel de la vie sociale. Ce peut être aussi un choix de société.

Je préviens une objection : On ne peut construire un modèle de vie collective par une simple extrapolation d'un certain idéal ou même de certaines pratiques réussies élaborées à partir de telles expériences. La vie sociale est aussi faite de toute une série de contraintes, de pesanteurs et de conditionnements qui viennent en partie des scléroses, des durcissements, de la bureaucratisation des rapports sociaux. Le reconnaître, c'est déjà pouvoir échapper au déterminisme. Dans une optique de prospective sociale (19), la République coopérative est à inventer, pour nous libérer de la « bureaucratie d'Etat » centralisée, parfois arbitraire, toujours rigoureuse, Léviathan cynique et froid.

C'est un projet mobilisateur possible pour le développement des peuples qui, comme le suggère Schumacher, choisiront ainsi leur modèle économique en fonction *d'eux-mêmes*.

Bien entendu, dans une telle république, dans une telle société, il faudrait viser à d'autres formes de « hiérarchie ».

« Pour faire de grandes choses, conseillait Montesquieu, il ne faut pas être au-dessus des hommes, il faut être avec eux ».

En même temps, on doit toujours garder à l'esprit que le devoir de liberté n'est pas en contradiction avec la *discipline sociale*. Au contraire, les deux sont indispensables à la fois et se justifient mutuellement, surtout si les objectifs du développement, définis ensemble, constituent la charte du comportement de chacun.

Dans une société de participation, la division, par exemple, entre fonctions d'exécution et fonctions de direction tend évidemment à se réduire.

Pour que les mêmes n'exécutent pas toujours les tâches désagréables, on pourrait envisager un système de rotation des responsabilités.

Des exemples existent déjà où, dans tel quartier urbain, c'est par équipes, à tour de rôle, que l'on assure le ramassage des ordures, tout en ayant accès à la direction communale.

Roger Garaudy, dans son projet « Espérance », suggère une autre forme de rotation : « Afin d'éviter le caractère permanent de la délégation de pouvoir et de la professionnalisation de la poli-

---

(19) Je voudrais attirer l'attention sur l'Association mondiale de prospective sociale, créée à Genève à l'occasion du colloque mondial sur les implications sociales d'un nouvel ordre économique international (Institut international d'études sociales, 19-23 janvier 1976).

tique, le principe de rotation doit être rigoureusement appliqué : nul ne pouvant être rééligible deux fois consécutives dans les assemblées. En outre, les délégués étant ceux non pas d'une circonscription territoriale, mais d'une unité de travail, de consommation ou de culture, il est parfaitement concevable que le délégué de cette unité ne soit pas toujours le même, mais soit désigné pour chaque session du congrès et des conseils de travailleurs en fonction de la nature des problèmes inscrits à l'ordre du jour de cette session. Cette hypothèse est si peu utopique qu'elle est expressément entrée en vigueur dans la dernière *Constitution yougoslave.* »

Et lorsque, à la surprise générale, Moammar El Khadafi met en cause le système des domestiques, valets et gens de maison, j'y vois pour ma part la préfiguration d'une société de pauvreté fondée sur des responsabilités également partagées dans tous les domaines.

« En vérité, dit J. P. N'Diaye dans *Monde noir et destin politique,* on sent que le fond du problème reste celui d'une direction à trouver, d'un *code intime* à élaborer qui puisse préparer le destin de notre avenir et impulser toute création. »

La plus grande richesse qu'une société de pauvreté introduirait me paraît être l'égalité ontologique des êtres et la grande variété de leurs différences formelles.

L'égalité ontologique est toujours mise en cause par le « relativisme culturel » qui naît de l'arrogance de l'argent. Et l'on fait fausse route si, pour affirmer cette égalité d'essence, on recherche par le capitalisme marchand les critères qui désignent les bases d'une société d'*apartheid* fondée sur le « suffrage censitaire ». Franz Fanon avait déjà mis en garde les « damnés de la terre » : « Non, nous ne voulons rattraper personne. Mais nous voulons marcher tout le temps, la nuit et le jour, en compagnie de l'homme, de tous les hommes. »

Dès lors donc que l'enrichissement est collectif et la pauvreté partagée, l'égalité ontologique me paraît avoir les meilleures chances de prendre racine. Alors seulement les différences formelles font épanouir l'ensemble parce qu'elles sont fondées sur l'être et ses multiples expressions, sur une communication plus immédiate, sur une cohésion plus profonde (20).

---

(20) Il est intéressant de noter qu'une proposition semblable a été énoncée dès 1959 par un Français, L.J. Lebret, qui parlait de frugalité là où je parle de pauvreté. Il disait, dans un petit ouvrage, *Pour une civilisation solidaire* (p. 46) : « Le statut de richesse, et surtout d'une richesse

Les pauvres en effet — non les misérables — nous inspirent la simplicité, l'effort, la générosité, le réalisme aussi.

Ce sont eux qui ont inventé au Brésil le « mutiaro », en pays d'Haïti le « coumbite », pour exprimer le travail ensemble au bénéfice de chacun et de tous parce que « l'entraide, c'est l'amitié des malheureux ». Il s'agit de l'organiser, d'y croire, de la fonder sur des droits collectifs qui libèrent et font épanouir la solidarité, cette seule force, ce seul pouvoir qui nous rassemblera. « Et nous ferons l'assemblée générale des gouverneurs de la rosée, le grand coumbite des travailleurs de la terre pour défricher la misère et planter la vie nouvelle. »

---

appliquée au plus grand confort, n'est pas le statut préférable pour l'humanité... Si la misère, c'est-à-dire l'en-deçà du niveau de subsistance et de dignité, est un mal à combattre, la *frugalité,* c'est-à-dire le besoin réduit aux exigences d'une vie digne, est une valeur qui peut donner aux peuples moins riches une supériorité sur les peuples avant tout soucieux de facilités et de confort.

« La *frugalité* permet d'ailleurs, à mesure que s'accroît la production par habitant, de consacrer plus de moyens à la mise en place des équipements collectifs de dépassement, culturels et spirituels. »

CHAPITRE V

POUR UN CONTRAT DE SOLIDARITÉ

« ... Une coupure est faite au bras de chaque contractant qui touche ensuite de ses lèvres le sang de l'autre... Les deux hommes deviennent alors plus que des amis ; ils se considèrent comme frères. »

Ordonnancement du Pacte de sang en pays Kikuyu.

« Donnez-moi un point d'appui
Et je soulèverai le monde. »

(Archimède.)

Au plus profond de la crise que connaissent nos sociétés, devant l'ampleur des problèmes, une espérance demeure.

Manuel, le héros de *Gouverneurs de la rosée* (1), avait découvert la source qui redonnerait vie à sa communauté. Il fut sacrifié par la jalousie et la haine. Mais il laissa ce testament : « ... la réconciliation, la réconciliation pour que la vie recommence, pour que le jour se lève sur la rosée ». Et, en effet, un immense « coumbite » de tous les jours et de tous les hommes fit jaillir l'eau... *La solidarité avait triomphé.*

Voilà, encore aujourd'hui, notre chance et notre espérance. La solidarité permet le rassemblement des pauvres pour un enrichissement collectif.

Mais comment l'organiser ? Comment la pauvreté au pouvoir nous conduit-elle à une vie plus intense de participation populaire riche de toutes nos particularités ?

Je dis que c'est par *contrat de solidarité* et je veux situer cette réflexion dans la revendication pour un nouvel ordre international qui devrait prouver la puissance de la pauvreté.

---

(1) Voir citation en exergue page 107.

« Nous, les peuples des Nations unies » ou la majorité oubliée

Conscient qu'il s'agit de l'homme — « la seule querelle qui vaille » — nous avons à relever un défi à la mesure de cet enjeu. Il faut reconnaître avec Aurelio Peccei que nous avons besoin d'une nouvelle éthique afin que « s'accomplisse vraiment l'humaine révolution » — celle de nous-mêmes (2). C'est ce même souci qui faisait dire à Paul VI dans un entretien avec des représentants des religions non chrétiennes : « L'homme doit rencontrer l'homme, les nations doivent se rencontrer comme des frères... Dans cette compréhension et cette amitié mutuelles, dans cette communion sacrée, nous devons également commencer à œuvrer ensemble pour édifier l'avenir en commun de l'humanité » (3).

Un tel appel pourrait laisser croire qu'une solidarité entre les nations elles-mêmes est de même nature et aussi facilement réalisable qu'entre groupes de même appartenance. Les formes de rapports, l'échelle des problèmes, les instruments de communication et d'échanges sont autres et requièrent des modalités institutionnelles et juridiques spécifiques. Mais à travers des conflits et des rapports de forces inévitables, un principe de solidarité doit guider les rapports internationaux, un vouloir de négociation doit en ultime instance s'imposer contre des relations de pure violence.

Si, au lieu de cette solidarité vécue ensemble, le monde que nous connaissons a jusqu'à présent trouvé son ressort dans une dialectique où la domination et la sujétion — nourries d'égoïsmes et de ressentiments — l'emportent sur les facteurs positifs et dynamiques de progrès, on peut se demander ce que représentent « ces peuples des Nations unies » dont l'alliance profonde devait garantir la paix du monde. Qui sont ces peuples ? Les marginaux, les chômeurs, les malades, les handicapés, tous ceux qu'on appelle précisément les « non-intégrés » ?

Certes, ce n'est malheureusement pas à eux que l'on pense lorsqu'on dit « Nous, les peuples des Nations unies ». Mais cette majorité oubliée, ces laissés pour compte, ces marginaux, ces chômeurs, ces malades réclament le juste droit de vivre. Il est urgent de donner satisfaction à cette légitime revendication en

---

(2) A. Peccei, *The humanistic revolution,* janvier 1975.

(3) Allocution aux représentants des religions non chrétiennes le 3 décembre 1964, AAS 57 (1965).

favorisant l'avènement d'un ordre international nouveau. Celui qui nous gouverne aujourd'hui est, aux yeux de beaucoup,

— un « ordre » sans dialogue, un univers dont les dirigeants se livrent à un soliloque que nous avons été habitués à écouter passivement depuis des siècles ;

— un « ordre » fondé sur des privilèges dont les structures permettent à une minorité de dicter des lois et des règles de comportement au plus grand nombre ;

— un « ordre » où, le plus souvent, les principes de justice, d'équité et de solidarité cèdent le pas aux préoccupations de puissance et de profit.

Ces privilèges sont aujourd'hui clairement mis en cause (4). Et si nulle réponse n'est formulée à l'exigence que nous percevons, alors nous attend inévitablement la révolution que prédisait Mirabeau : « Impassibles égoïstes qui pensez que ces convulsions du désespoir passeront d'autant plus rapidement qu'elles seront plus violentes, êtes-vous bien sûrs que tant d'hommes sans pain vous laisseront tranquillement savourer des mets dont vous n'aurez voulu diminuer ni le nombre ni la délicatesse ? Non, vous périrez !... »

Le péril, en effet, réside surtout dans le type de relations internationales engendré par le système des empires aujourd'hui contestés, et qui a donné naissance à des institutions où l'unité s'impose du dehors. Les spécialistes du droit allemand d'association opposent cette forme d'institution dite *Herrschaft,* fondée sur la domination, à un autre type de relation sociale, *Genossenschaft,* où l'unité se forme démocratiquement.

La perception de plus en plus aiguë des distorsions et des oppressions a permis certains réveils, certaines interrogations. La lutte des peuples de la faim, leur résistance ont ébranlé l'édifice. On ne peut alors que se réjouir de constater que les efforts menés au sein de l'Organisation des Nations unies ont été récemment marqués par deux événements de première importance :

— la déclaration et le programme d'action adoptés par l'assemblée générale à sa 6e session extraordinaire, le 1er mai 1974, pour l'instauration d'un nouvel ordre économique international ;

— la charte des droits et devoirs économiques des Etats, adop-

---

(4) Voir E. Kodjo : « Justice et équité doivent progressivement faire place à une solidarité contractuelle résultant d'un changement de mentalité, qui accepte qu'aux problèmes verticaux (pauvreté où qu'elle soit, répartition, sécurité) soient trouvées des solutions verticales, c'est-à-dire globales. » Alger, octobre 1976.

tée à la 29e session ordinaire, le 12 décembre 1974, et à laquelle l'ancien président mexicain Luis Echeverria aura définitivement attaché son nom.

Un nouvel ordre qui libère

Ces documents et quelques autres (5) manifestent la volonté, maintes fois exprimée par un grand nombre de nations et de peuples, de rechercher et d'instaurer un autre équilibre et un autre développement, fondés sur une nouvelle façon de concevoir les relations entre les Etats, entre les peuples et entre les hommes. Il nous faut saisir l'occasion de cette réflexion pour reformuler des modèles de développement accordant aux phénomènes sociaux la part qui aurait dû, toujours, être la leur.

On ne saurait minimiser les difficultés d'un tel bouleversement. Il importe, au contraire, de mettre en évidence combien il est préférable de négocier calmement, consciemment, entre partenaires, à long terme, plutôt que sous la contrainte et dans la précipitation comme l'on y est souvent forcé par les événements. Il faut une prospective — et qu'elle soit *sociale*. La recherche d'un ordre international équitable exige l'adoption et l'acceptation par tous les membres de la communauté internationale de principes qui lui confèrent vraiment une légitimité et, plus qu'hier, ces principes devront être définis aussi avec les peuples du tiers monde.

Parmi les significations que revêt pour eux le concept d'un nouvel ordre international, il en est une que je veux souligner : *la libération des peuples*. La Charte nationale algérienne nous le rappelle : « Le concept de développement est indissociable de celui de la libération économique. » Libération, car l' « ordre » actuel que nous dénonçons est une mutilation historique. Il est aliénation au sens où Adam Schaff en parle comme d'une culture d'emprunt, d'une personnalité d'emprunt.

Forts de ce droit irrécusable à leur libération, les peuples du tiers monde entendent effectivement participer à une condition humaine « ensemble vécue et ensemble partagée » qui justifierait notre destin commun. S'ils veulent la coopération, ils revendiquent d'abord la justice. Or les temps que nous vivons sont dangereux

---

(5) Par exemple la déclaration de Cocoyoc au symposium sur les modèles d'utilisation des ressources, organisé au Mexique par les Nations unies, 8-12 octobre 1974.

pour l'esprit de l'homme. La confusion des termes et des intentions peut mettre en échec les entreprises les plus nobles.

Aussi est-il nécessaire d'avoir présent à l'esprit que l'appel à la solidarité ne suffit pas à lui seul à établir des normes de comportement, des instances d'application systématique et universelle. Nous, peuples du tiers monde, nous avons souffert trop gravement de mille ambiguïtés pour ne pas nous méfier de notions généreuses et vagues : ambiguïtés de la charité, de la fraternité, ambiguïtés même de la liberté et de la culture. Nous ne pouvons donc accepter de nous installer dans une solidarité ambiguë qui serait un prétexte, sous le couvert de la bienveillance, pour maintenir la domination et des injustices structurelles. J'ai souvent entendu des syndicalistes, des ouvriers, des militants de diverses catégories faire observer très justement : « La solidarité du cavalier et du cheval n'est pas la nôtre, et nous n'en voulons pas. »

Il demeure néanmoins remarquable que la valeur de solidarité s'impose de plus en plus. C'est à la solidarité, en effet, que se réfère par exemple *Leonid Brejnev* lorsqu'il prend l'initiative absolument capitale de la conférence sur la sécurité et la coopération en Europe, qui aboutit à cette déclaration d'Helsinki, dont on n'a pas encore perçu toutes les conséquences sur la vie quotidienne des peuples. La déclaration d'Helsinki, déstabilisant la tension idéologique permanente, touche en outre des domaines aussi essentiels que le développement économique et social, la culture, la migration des hommes et des idées. Elle jette ainsi entre des peuples vivant sous des régimes politiques différents les fondements d'un véritable contrat de coexistence.

Quels que soient les aléas du moment, et précisément à cause des débats publics auxquels on assiste, les fruits de la conférence sur la sécurité et la coopération en Europe marqueront pour longtemps les structures et les rapports non seulement des Etats directement concernés, mais aussi de tous les autres, qui leur sont associés dans cette aventure planétaire qui nous est finalement commune. Ainsi, depuis que Pierre Mendès France a heureusement inauguré dans son pays l'heure de la décolonisation, l'histoire passée et les circonstances présentes dictent au gouvernement de Paris une politique active de coopération. Récemment encore, à l'occasion de l'indépendance de Djibouti puis au cours de sa visite officielle en Côte-d'Ivoire en janvier 1978, M. Valéry Giscard d'Estaing a proposé, en invoquant les évolutions que nous observons, un pacte de solidarité entre l'Europe et l'Afrique. Avant lui, au parti socialiste français, Lionel Jospin et Jacques

Delors avaient lancé l'idée de « contrat de codéveloppement ».

Ces idées généreuses et pertinentes méritent de retenir l'attention. Encore une fois cependant chacun doit se rendre compte que le pacte colonial n'est pas mort et que nul ne souhaite dans le tiers monde prolonger sa survie à partir de formules non clairement définies. Et notamment ne peut demeurer hors du débat tout le bouillonnement que l'on vit aujourd'hui en Afrique australe où le mépris racial et raciste conduit à une politique de génocide délibéré. Comment feindre d'oublier, en Occident et ailleurs — comme le soulignait souvent Diallo Telli, secrétaire général de l'Organisation de l'unité africaine —, que toute complicité, évidente ou occulte, avec les protagonistes d'une telle tragédie aux risques universels incalculables reste rigoureusement incompatible avec une éthique de solidarité ?

Que, par exemple, l'ambassadeur américain Andrew Young l'ait saisi avec un courage qui l'honore impose l'obligation de parler un langage clair qui nous délivre, comme dirait Pierre Waline, de « la malfaisance des mots trompeurs ».

Je voudrais donc tenter de nouveau d'expliquer ce que j'entends par « contrat de solidarité » et indiquer quels peuvent être ses conditions et ses domaines d'application, comme je les ai exposés à grands traits en janvier 1976 au colloque mondial sur les implications sociales d'un nouvel ordre économique international.

Quelle solidarité ?

Des études, des recherches sérieuses doivent nous permettre de cerner davantage ce concept dans le contexte nouveau et les besoins spécifiques qui nous préoccupent. A partir de la *Herrschaft* — caractérisée par la domination — et de la *Genossenschaft* — fondée sur la coopération — nous pouvons dégager deux concepts de solidarité :

— la solidarité mécanique, fondée sur les ressemblances, qui est adhérence grégaire de l'individu au groupe, et

— la solidarité organique, fondée sur les différences, réponse aux aspirations créatives de chacun et aux vrais besoins de tous, objet précisément de notre recherche.

Chaque jour qui passe nous donne l'occasion de mesurer notre indifférence ou notre disponibilité pour cette solidarité organique.

La radio, la télévision, les journaux nous y invitent constamment : deux avions géants entrent en collision = 600 morts ; tremblements de terre en Turquie, en Roumanie, au Guatemala : des milliers de morts et de sans-abri ; inondations, accidents de montagne ou de la route : des morts, encore des morts...

Et nous sommes sur la terre des vivants. Quelques Samaritains — les bons — tentent de sauver le voyageur tombé aux mains des brigands, torturé et laissé pour mort.

Leur sens de la solidarité devient notre mauvaise conscience. Mais nous devons aller plus loin que de craindre, assis dans un fauteuil, notre condamnation pour « non-assistance à personne en danger ».

Le monde entier doit et peut vivre en solidarité organique. Il faut le vouloir en ouvrant les yeux sur les désastres permanents qui entassent des milliers de cadavres dont nous sommes conjointement responsables (6).

Si l'on considère que la non-satisfaction des besoins essentiels constitue pour un peuple, à court ou à moyen terme, une calamité véritable, laquelle, comme toute autre catastrophe, requiert la solidarité, on pourrait imaginer une situation dans laquelle tel pays du tiers monde définirait lui-même, dans un secteur donné, des objectifs sociaux précis, indiquerait lui-même les besoins essentiels à satisfaire dans un délai déterminé, fixerait les moyens à mettre en œuvre pour atteindre ces buts et remplir ce « cahier de charges sociales ».

Parmi les moyens envisagés, et qui seraient en priorité de mobilisation interne, on pourrait compter sur les fruits de la participation de l'Etat concerné à la coopération internationale aux niveaux économique, commercial, politique ou culturel. Cela permettrait par exemple à tel pays industrialisé, à tel autre pays du tiers monde ou à telle organisation internationale d'offrir sa contribution à la réalisation de divers projets grâce à des expériences transférables, à des moyens techniques ou financiers, au travail direct sur le terrain d'un personnel temporaire.

On peut aussi imaginer une autre situation où tel pays indus-

---

(6) P.-M. Henry : « Les conséquences ultimes d'une solidarité totale des êtres humains entre eux à l'échelle globale de l'humanité prise dans son ensemble n'ont pas encore été soigneusement mesurées par l'Orient ni par l'Occident, par les riches ni par les pauvres. La garantie réelle de la subsistance pour tous et de l'accès à un niveau libéré de progrès et de pensée, sur le plan de l'alimentation, du logement, de l'éducation et de la santé, n'a pas encore été conçue dans toutes ses implications économiques et politiques. » *(La Force des faibles.)*

trialisé se trouve dans l'obligation de satisfaire des besoins essentiels comme l'eau, l'énergie, la main-d'œuvre, de meilleures relations sociales et donc de rechercher la solidarité de tel pays du tiers monde ou de tel autre pays industrialisé sur une base de complémentarité.

Ainsi, un contrat portant sur l'échange technologique entre deux Etats ou sur un plan pour le développement rural d'une région ne peut être un contrat de solidarité que s'il répond aux exigences de :

— la satisfaction des besoins de base des populations concernées par l'accord ;

— l'adoption du principe de la négociation et de la concertation, hors de toute forme de dépendance commerciale ou financière.

Le but profond, comme dit si bien Amadou-Mahtar M'Bow, directeur général de l'Unesco, c'est de « transcender le règne stérile, instable et dangereux des rapports de pouvoir et d'exploitation » (7), donc de promouvoir de nouveaux rapports internationaux. Voilà qui montre que la solidarité ne peut plus être seulement un principe général, ambigu, vite oublié. Elle doit devenir un contrat véritable, qui lie des personnes et des communautés ayant préalablement défini des objectifs nobles et précis, fondés sur la condition humaine ensemble vécue et ensemble partagée.

Le but de cet ouvrage n'est pas d'analyser les formes et la nature de nouvelles relations internationales pour permettre l'instauration de ce nouvel ordre dont on parle tant aujourd'hui. Il est toutefois important de souligner au passage la nécessité de réformes structurelles dans les rapports entre les Etats-nations et les souverainetés nationales dont ils se prévalent. Car, comme l'a dit Belaïd Abdesselam, ministre algérien de l'Industrie, au colloque du projet RIO, tenu à Alger en octobre 1976 : « S'il est exact que le développement de chaque pays dépend essentiellement et en priorité des efforts faits par son peuple, il n'est pas moins vrai que ces efforts ont besoin du complément que constitue l'apport de relations internationales équitables expurgées de toute forme de domination et d'exploitation. » Mais ce chan-

(7) Message au colloque mondial sur les implications sociales d'un nouvel ordre économique international (Genève, janvier 1976), où M. M'Bow dit encore : « ... l'entreprise du développement et l'instauration d'un nouvel ordre économique international sont désormais inséparables, et toutes deux constituent une entreprise globale qui est au service de l'homme et qui est l'œuvre de l'homme. »

gement dans les structures de pouvoir au niveau international ne sera réel et durable que porté par d'autres formes nationales de développement.

C'est pourquoi j'insiste encore sur la mobilisation interne. Car « on ne développe pas, on *se* développe... Et dans la lutte pour le développement qui utilise et exalte les vertus culturelles de chaque peuple, il faut s'appuyer avant tout sur les sources vivantes de ces cultures, à savoir les masses populaires » (J. Ki-Zerbo).

Dans ces efforts de mobilisation interne, le rôle des cadres reste important. S'ils manquent — délibérément ou non — de conscience et de pratique de la solidarité nationale, ils obligent par leurs carences à avoir recours à des « assistants techniques extérieurs ». Si tel médecin, tel enseignant, tel agronome du pays ne veut servir qu'à la ville, dédaignant manifestement les campagnes ou les postes de brousse, on ne peut s'étonner que l' « assistant technique » qui accepte de servir partout où un besoin existe devienne alors indispensable. Et l'on est souvent rempli d'admiration pour un travail si généreux et si fraternel... Mais il arrive aussi que le coopérant soit tenté par la curiosité facile, l'interventionnisme politique de droite ou de gauche, l'aventure, les activités secrètes, ... l'ethnologie de bas étage... (8).

Que faire si nous n'avons pas nous-mêmes compris où se situe notre devoir et comment notre intérêt profond exige d'organiser à partir de nous-mêmes les marques de la solidarité ainsi offerte ?

Les hommes qui réussissent à agir utilement en société de « sous-développement » sont ceux qui ont opté pour la pauvreté, entendue non seulement au sens de libération des biens matériels, mais aussi comme besoin d'apprendre chez les autres l'art de vivre, d'aimer, d'être ce qui finalement définit un homme vrai : la bonté, la bravoure, l'authentique fraternité, comme disent à Bahia les filles de Shango. Cela nous éloigne du sentiment de néant que l'on éprouve lorsque, avec les yeux de France Pastorelli, on regarde, « en des circonstances qui les dépouillent du vernis qu'ils doivent à la civilisation et à l'éducation, certains

---

(8) Certains pays industrialisés ont inauguré le système des volontaires du service national (VSN). Ceux-ci tendent de plus en plus à remplacer les anciens coopérants. Ce sont de jeunes gens, appelés du contingent militaire, qui effectuent leur service civique en acceptant un contrat de coopérant. Une telle pratique présente quelques inconvénients qui causent de graves préjudices au principe même de la coopération. Dans les années 70, Henri Bandolo consacra à Radio Yaoundé une de ses émissions critiques du dimanche, « Dominique », à certains loisirs des VSN : l'opinion et les autorités s'en émurent vivement.

hommes, moralement invertébrés, qui, une fois réduits à ce qu'ils sont en réalité au fond d'eux-mêmes, n'apparaissent plus que comme des larves nulles, inertes, pitoyables et laides, ainsi que des tortues privées de leur carapace » (9). Et la coopération — François de Negroni le démontre (10) — offre malheureusement de pareils exemples.

Solidarité entre qui ?

Définie donc par les critères de vérité et de service et à l'abri de toute ambiguïté, la solidarité peut se manifester à différents niveaux. Il nous faut pourtant répondre à une question souvent posée : « Une solidarité entre qui ? » Le contrat en effet que nous envisageons n'est pas rencontre arbitraire de libertés, mais « création commune et responsable d'un authentique progrès humain » (11). Et, puisqu'il n'y a pas de création sans créateurs, un tel contrat suppose *des partenaires* « reconnus dans leur personnalité propre et assurés des conditions économiques, politiques et culturelles de la mise en œuvre de leur personnalité responsable » (11).

La communauté internationale, longtemps composée des seuls Etats, a progressivement fait une place à l'individu ou aux « particuliers ». Ce sont donc les peuples dans leurs structures nationales, leurs organisations publiques ou privées, les individus qui les composent, qui se trouvent tous concernés. Le contrat de solidarité intéresse tous les hommes et toutes les communautés. Il s'agit de nous *reconnaître* tels que nous sommes tous, avec toujours quelque faiblesse, avec toujours quelque besoin à couvrir, que ce soit sur le plan personnel, national ou international. Et il est bon de rappeler ici ce que nous avons dit au début de ce chapitre : la solidarité à grande échelle entre groupes nationaux n'a pas la même structure, ni la même nature, ni les mêmes lois qu'au niveau des rapports immédiats.

En effet, une opinion courante veut que dans les problèmes internationaux, économiques et politiques, l'on se base et l'on

---

(9) F. Pastorelli, *Servitude et grandeur de la maladie,* Editions du Cerf, Paris.

(10) François de Negroni, *Les Colonies de vacances,* Editions Hallier, Paris, 1977.

(11) Cardinal B. Gantin, table ronde à l'occasion du 10e anniversaire de l'encyclique *Populorum Progressio,* IIES, 1977.

compte en premier lieu sur l'attitude des Etats-nations. Il ne faut certes pas négliger cette dimension essentielle du problème de la solidarité « internationale », mais nous voulons insister ici sur le fait qu'il ne faut pas miser uniquement ou toujours en premier lieu sur les politiques officielles. C'est dans les peuples eux-mêmes et dans les masses souvent écrasées qu'il faut chercher la force première et le dynamisme politique pour faire surgir ce vouloir efficace de solidarité et pour le faire passer en projets et en contrats politiquement reconnus.

Un exemple de solidarité interne peut être illustré par le souci louable, récemment apparu dans plusieurs pays, de revaloriser le travail manuel en accordant des salaires plus élevés et plus décents à ce type d'activités. Ainsi présenté, le problème est-il bien posé ? Faut-il revaloriser le travail manuel par une meilleure rémunération ? Ou faut-il valoriser le travail de l'homme en lui permettant une juste synthèse entre la part de l'esprit et celle des bras ? Il ne devrait pas y avoir deux catégories d'hommes, d'un côté les riches qui ont besoin du sport pour entretenir leur corps et de l'autre les miséreux qui ne peuvent qu'accepter l'asservissement de l'esprit parce que le corps est bien trop fatigué pour leur permettre de penser et de se refaire.

Insérer le travail manuel dans l'effort d'invention et dans le progrès technologique équilibre en chaque individu ces deux parts inaliénables de son pouvoir créateur.

Travail manuel et travail intellectuel : une synthèse au service de l'homme et du progrès social. Cette complémentarité permettrait peut-être d'autres orientations salutaires pour tout ce qui touche à la formation, l'emploi, la santé, la qualité de la vie. Et si chacun arrive à cette prise de conscience, une nouvelle solidarité interne au pays apparaît et prend une dimension contractuelle.

Sur le plan national encore, et dans une perspective de « République coopérative », le contrat de solidarité peut s'appliquer à différentes situations : entre les cadres ou les dirigeants et les masses, entre les régions, entre les groupes sociaux...

Il est évident que si, au niveau national, nos pays comptaient d'abord sur eux-mêmes pour leur développement, la coopération internationale aurait de solides fondements, lui donnant à la fois substance et efficacité. En retour, la philosophie d'un nouvel ordre parviendrait progressivement à imposer d'autres orientations politiques et sociales, et à abolir les privilèges.

Cela me donne l'occasion d'insister sur une notion essentielle : la *solidarité des pauvres*. Celle que I. Jazaïry appelle « la solidarité de combat des pays du tiers monde » (12). Elle leur permet de dégager une position concertée sur des objectifs clairs ou sur l'élaboration en commun d'un dessein global conforme au droit des peuples, et en même temps de créer des mécanismes de développement complémentaires. La conscience de cette lutte solidaire des pays du tiers monde s'est déjà manifestée dès la préparation de la réunion de la première session de la conférence des Nations unies sur le commerce et le développement en 1964, mais c'est incontestablement la quatrième conférence au sommet des pays non alignés à Alger, en septembre 1973, qui l'a le mieux illustrée. Lorsque, à cette occasion, le président Houari Boumediene revendique un nouvel ordre économique mondial et souhaite que son avènement permette de « remporter des victoires sur la misère, la maladie et l'insécurité », il s'agit, en réalité, d'une seule et même démarche : celle du refus, par une attitude solidaire, de structures imposées à travers des mécanismes forgés unilatéralement. La nouvelle place conquise par les pays de l'OPEP, en remettant en cause le prix du pétrole, prouve bien la force d'une telle solidarité. Elle inspire déjà d'autres alliances. Ainsi, grâce à leur prise de conscience de cette solidarité de combat, les Etats du tiers monde parviendront à créer un instrument allant dans le sens de leur libération. Il ne s'agit pas en effet de nous complaire dans une « morale des sentiments », ou de faciliter « l'horrible concorde qui étrangle la faim ». Au contraire, nous visons un dépassement, un impératif qui intègre la fonction de contestation en lui indiquant les règles du jeu dans le cadre d'une structure tenant compte des *intérêts réciproques.* « La contestation trouve sa place stimulante, étant appelée à empêcher que la solidarité initialement retrouvée ne s'enlise dans la simple accommodation, dans des compromis honorés du nom de paix sociale mais traduisant éventuellement plus la concertation des intérêts dominants que la garantie ou la promotion pour tous de droits humains fondamentaux » (13).

Aussi, la solidarité ne devra pas se limiter au seul champ économique. En s'appliquant à tous les domaines, en s'exerçant à différents niveaux, elle est à l'origine d'un développement rapide

---

(12) I. Jazaïry, *Le Concept de solidarité internationale pour le développement,* IIES, Genève, 1977.

(13) Voir *Justice, contestation et solidarité* par Carlos Josaphat Pinto de Oliveira dans « La Justice », recueil de conférences, Editions Universitaires, Fribourg, 1977.

des rapports horizontaux et enrichit par là même les possibilités d'une autre coopération internationale.

Une telle solidarité, de dimension globale, a par conséquent une double nature. Tantôt elle sera considérée comme une simple faculté : le droit de prendre part à la coopération économique, indépendamment de toutes les différences entre les systèmes politiques, économiques et sociaux ; le droit de se regrouper en organisations de producteurs et le droit de participer à la coopération sous-régionale, régionale et interrégionale. Tantôt elle se formulera de manière plus impérative et sera considérée comme un devoir diversifié suivant les parties qui adhèrent au contrat de solidarité.

Un préalable : le respect du partenaire

Les conditions préalables à toute coopération véritable, à la conception et à l'exécution de tout contrat de solidarité nous sont connues. Elles se résument en ceci : respect du partenaire, de sa personne, de son opinion, de sa culture.

Et cela parce que nous devons à *nous-mêmes* les égards qui rendent humaines nos relations, parce que « l'homme humilié de l'homme n'est pas voulu de Dieu » et qu'il n'y a nulle part d'avenir là où l'instinct s'est substitué à la raison. Or la solidarité devient raisonnable si elle est loyalement négociée et si elle entre dans un contrat de comportement, de vie, de création.

Au respect de la culture je voudrais ajouter le respect de l'hospitalité. Car l'abus d'hospitalité est toujours une faute contre la solidarité.

La pauvreté invite à l'hospitalité. Si, comme le rappelle saint Augustin, « celui qui possède le superflu possède le bien d'autrui », on sait que la philosophie et la pratique du partage caractérisent surtout les gens pour qui la vie n'a jamais pris le sens d'une égoïste appropriation de biens. Mais celui-là trahit cette hospitalité qui, touriste ou coopérant, accueilli dans un village d'hommes simples, en profite et en abuse. Ainsi les films qui paraissent ici et là sur le vaudou ou sur l'excision (circoncision des femmes) ne peuvent que susciter de légitimes appréhensions. Ils servent à une publicité qui n'a rien de « solidaire ». Le goût des curiosités ethnologiques sensationnelles conduit à satisfaire le goût de la violence et à susciter le mépris. Ce n'est pas ainsi que l'on se met en état de négocier un contrat de solidarité car finalement cela contribue par incompréhension et ethnocentrisme à diviser la terre des hommes. Soyons clair. Parlant de film sur l'excision, je fais précisément allusion à une campagne organisée récemment par « Terre des hommes » (14) contre les mutilations pratiquées sur des jeunes filles nubiles, dans certains pays d'Afrique et du Moyen-Orient. Le but de la campagne était sans doute fort louable. Certaines des méthodes utilisées étaient parfaitement détestables.

4 mai 1977. Il est 20 heures. C'est l'heure des actualités télévisées de la deuxième chaîne française. On écoute avec attention Jean-Pierre Elkabach parler de l'attaque du Front Polisario contre Zouérate, en Mauritanie, où avaient trouvé la mort un médecin français et son épouse. Commentaires. Réactions... Presque sans transition, il nous est présenté par un médecin de « Terre des hommes » une séquence où l'on voit dans un pays d'Afrique des nègres dansant autour de cérémonies horribles d'excision.

Je m'empresse d'abord d'indiquer mon opposition personnelle à la coutume visée, non par sensiblerie conventionnelle, mais parce que le respect des cultures et des traditions ne peut contredire celui de l'intégrité des personnes.

Cela dit, j'affirme que le médecin de « Terre des hommes » qui présentait la séquence en question à la télévision ne pouvait ignorer qu'il manquait ainsi à la déontologie de sa mission et qu'il abusait par là même de l'hospitalité du pays qui l'avait reçu. Dans quelles conditions un tel film a-t-il été tourné ? On a le devoir moral de se poser la question.

Une chose à mes yeux est certaine : une séquence télévisée au cours d'un journal parlé, en Europe, ce n'est ni le lieu ni le moment d'aborder sérieusement le sujet de l'excision en Afrique ou ailleurs. Il est en effet des situations et des pratiques que l'opinion publique, même remuée à l'extrême, ne peut modifier parce qu'elles relèvent d'un domaine où l'intervention extérieure n'a véritablement nulle prise : celui des fondements et des structures sociologiques. Ici le sensationnel peut contredire l'efficace, et donc empêcher ou retarder pour longtemps la mutation pourtant souhaitable.

C'est dire qu'on aurait été prêt à comprendre la présentation du même film, avec une analyse approfondie désamorçant toute

---

(14) Organisation non gouvernementale au secours de l'enfance meurtrie. Siège à Lausanne, Suisse. L'action médicale de « Terre des hommes » est généralement très positive. Ses méthodes publicitaires ne sont pas toujours heureuses.

réaction épidermique, devant un public intéressé par le thème, capable d'entrevoir les contours d'une évolution souhaitable et désireux de manifester une solidarité intelligente et active.

Le paysan de l'Aveyron ou d'ailleurs, à qui s'adressaient aussi les actualités télévisées, aurait probablement mieux situé le problème et se serait certainement gardé de tout jugement hâtif qui ne sert pas toujours la compréhension et le respect mutuel que les peuples se doivent.

Si je rapporte cet incident et ma réaction — dont j'ai fait part à la presse (*Le Monde* du 11 mai 1977) — c'est pour souligner qu'en employant d'autres moyens d'action on a des chances d'atteindre ceux qui peuvent changer effectivement le cours des choses. Ceux-là, ce sont d'abord les populations concernées. Il ne fait nul doute qu'une meilleure information sur les efforts des groupes d'animation comprenant des femmes, des jeunes travailleurs, des infirmières des pays intéressés ferait sûrement mieux qu'une campagne montée à Lausanne par « Terre des hommes » et toutes les résolutions de toutes les instances internationales réunies.

Le rôle de l'opinion publique mondiale — à laquelle je crois — c'est de soutenir ce mouvement, cet effort authentique des peuples, et non de se substituer à lui.

Agir autrement, c'est prolonger « l'assistance technique de papa » et favoriser les jugements sommaires qui donnent assise à toutes les formes de racisme que l'on continue de déplorer ; c'est avoir oublié qu'aujourd'hui réussir la coopération, c'est d'abord prendre au sérieux, *rigoureusement,* un mot de Césaire qui résume et mon propos et les sentiments profonds des peuples du tiers monde : « (Il faut comprendre) que nous ne puissions désormais accepter que qui que ce soit, fût-il le meilleur de nos amis, se porte fort pour nous... L'heure de nous-mêmes a sonné » (15).

La procédure contractuelle

C'est pourquoi négocier entre partenaires est devenu un impératif catégorique. Cela en déterminant des objectifs clairs, des étapes, des conditions et en ayant toujours pour fondement la cohésion humaine profondément ressentie.

---

(15) *Lettre à Maurice Thorez* par Aimé Césaire, *Présence africaine,* Paris, 1956.

De même que les normes internationales du travail font périodiquement l'objet d'une évaluation de la manière dont les Etats les appliquent, de même devons-nous prévoir que les contrats de solidarité ne mériteront cette appellation qu'après avoir montré qu'ils respectent dans la pratique un certain nombre de critères rigoureux, établis selon les principes assurant les fondements d'un nouvel ordre international. Il importe en effet de prendre des précautions pour éviter que l'on baptise « contrat de solidarité » n'importe quel accord de coopération remis au goût du jour ! L'une des originalités du contrat de solidarité résulte de l'adoption d'une procédure d'évaluation et de contrôle sur la base de principes qui ne sont plus seulement économiques, mais où l'homme trouve sa place dans toutes ses dimensions sociales.

Avant le contrat, les partenaires accepteront d'être guidés par des orientations générales telles que :

— la détermination d'objectifs globaux permettant de favoriser l'instauration d'un ordre international fondé sur la solidarité ;

— la détermination par le procédé de la négociation d'objectifs immédiats en relation avec la satisfaction de besoins essentiels particuliers ;

— l'évaluation des possibilités de mise en commun de ressources nécessaires au fonctionnement d'un projet déterminé.

Pendant l'exécution du contrat, par une procédure adéquate, les mêmes partenaires se mettront en mesure d'évaluer le chemin parcouru en fonction des objectifs, de prévoir les étapes à venir, de reformuler lesdits objectifs en tenant compte de la réalité, bref de rester maîtres de l'engagement et de contrôler le futur. S'il se révèle que l'opération ne répond plus aux objectifs, le contrat doit être revu. Ce qui fait la spécificité du contrat de solidarité, c'est le domaine qu'il réglemente et les objectifs dont l'aboutissement constitue sa finalité : la société reconstituée en un tissu vivant.

Après l'exécution du contrat, les partenaires auront à cœur d'évaluer les résultats en fonction des objectifs visés. Les implications du contrat de solidarité vont effectivement au-delà de la simple prise en considération des droits et des obligations qui en résultent. Les notions d'intérêt économique, d'avantages réciproques pris comme simples moyens de la négociation doivent être considérées comme secondes par rapport aux normes de justice et d'équité.

Cette évaluation doit prendre en compte des situations différentes et promouvoir des comparaisons significatives. Ainsi le calcul en termes monétaires masque bien souvent la réalité du travail et empêche la juste appréciation de l'utilité économique et sociale d'un projet. A combien s'élèverait par exemple le coût du chemin de fer qui relie désormais la Tanzanie à la Zambie si l'on avait dû appliquer à ce projet les tarifs internationaux actuellement en vigueur ?

Et même si l'on reste sur le terrain de l'évaluation financière des obligations des parties concernées par un contrat de solidarité, on arrive à discerner des situations d'injustice allant à l'opposé de certaines formes de bienfaisance affichées.

A ce propos, on trouvera en annexe III le tableau des transferts financiers en direction des pays du tiers monde et en provenance des pays de l'OCDE. Ces transferts sont bien inférieurs à ceux qui s'opèrent dans le sens inverse. Pour s'en convaincre, il suffit de reprendre les calculs de la CNUCED qui estime à 46,3 milliards de dollars l'aide en provenance des Etats-Unis, du Canada et de la Grande-Bretagne vers le tiers monde entre 1960 et 1972. Or, pendant la même période, les « flux retour » de remboursements, intérêts, profits, ainsi que l'apport des techniciens du tiers monde immigrés dans ces trois pays — ce que l'on appelle la « fuite des cerveaux » — atteignent 50,9 milliards de dollars : malgré l'aide, ou peut-être grâce à elle, le tiers monde accuse un déficit de 4,6 milliards de dollars sur ces douze années. Devant ce calcul, on est saisi par l'inégalité profonde, qu'il faut corriger grâce à de nouvelles structures contractuelles. On comprend alors que l'Algérien Jazaïry revendique le droit pour les hommes et les femmes du tiers monde de « bénéficier simplement de la plus-value de leur travail ».

La solidarité étant, comme nous l'avons rappelé, facteur de cohésion, elle devrait se manifester dans tous les domaines de la vie sociale. C'est pour cela que le contenu spécifique de chaque contrat de solidarité doit être délimité en fonction du *développement social,* avec pour objectif fondamental et immédiat la satisfaction des besoins de base. Cet objectif détermine en lui-même le champ d'action privilégié de ce type de contrat. Il faudrait donc, dans une première étape, procéder à l'inventaire des situations les plus misérables, les plus contraignantes, dans lesquelles se trouvent nombre d'individus, de communautés, de régions, afin de déterminer les domaines où la négociation de contrats de solidarité serait nécessaire en priorité.

Rôle irremplaçable des syndicats... mais quel syndicalisme ?

C'est pourquoi, parmi les partenaires au contrat de solidarité dans une perspective de développement social, il est essentiel d'accorder une position privilégiée à tous les groupements qui peuvent permettre de mieux percevoir les préoccupations, les intérêts, les besoins des plus humbles. Parmi ces groupements, je voudrais faire une place spéciale aux organisations syndicales et professionnelles — *à condition qu'elles ne soient pas le refuge de privilèges égoïstes à l'encontre d'une majorité de misérables.*

Le pacte international relatif aux droits économiques, sociaux et culturels adopté par l'assemblée générale des Nations unies en 1966 souligne expressément « le droit qu'a toute personne de former avec d'autres des syndicats et de s'affilier au syndicat de son choix, sous la seule réserve des règles fixées par l'organisation intéressée, en vue de favoriser et de protéger ses intérêts économiques et sociaux » (16).

En dépit de cette affirmation, rares sont les pays en voie de développement où les syndicats existent dans tous les secteurs de l'économie. Lorsqu'ils existent, ils n'ont pas souvent la force, l'indépendance et la représentativité nécessaires pour être des instruments tout à fait efficaces de participation de tous les travailleurs à l'instauration d'un nouvel ordre économique international.

En 1972, Wilfred Jenks, alors directeur général du BIT, dans son rapport à la conférence internationale du Travail, mettait cette question en évidence et fixait les objectifs de l'OIT dans ce domaine : « Trop souvent, le gouvernement ne voit dans le mouvement syndical qu'un auxiliaire politique ou une source de menaces politiques. Trop souvent, les syndicats ne recrutent leurs membres que dans une catégorie relativement restreinte de travailleurs du secteur industriel moderne, limite qui est aussi celle de leur action (17). »

Le premier objectif consistera donc à promouvoir la création et le développement d'organisations de travailleurs lorsque ces

(16) Pacte international relatif aux droits économiques, sociaux et culturels, résolution 220 (XXI) du 16 décembre 1966, article 8, paragraphe 1, alinéa a).

(17) Conférence internationale du travail, 57e session, *La technique au service de la liberté, l'homme et son milieu, rôle de l'OIT*, rapport du directeur général, partie I, BIT, Genève, 1972, p. 60.

derniers ne sont pas encore organisés. Le secteur de l'agriculture entrera d'ailleurs plus particulièrement dans cette perspective. En effet, nous savons que si deux hommes sur trois dans le monde appartiennent au milieu rural, cette proportion s'accroît dans les pays en voie de développement. Sachant que les zones rurales sont moins bien organisées que les zones urbaines du point de vue syndical, on mesure l'ampleur de la tâche. La conférence internationale du travail a adopté une convention et une recommandation sur les organisations de travailleurs ruraux et leur rôle dans le développement économique et social (18), dont l'objet essentiel est de proposer des mesures internes — législatives, financières, d'information et d'éducation — et d'en favoriser l'application.

C'est aux organisations syndicales qu'il revient d'encourager la création de coopératives et d'autres institutions pour aider les paysans et les artisans, qui vivent souvent dans la misère, à accroître leurs productions, à les distribuer sur le marché et à augmenter ainsi leurs revenus. Les syndicats pourront avoir aussi une fonction irremplaçable d'éducation sociale, dans le domaine du contrôle de la démographie et pour ce qui concerne la protection de l'environnement. Dans de nombreux pays, ils seront des facteurs déterminants dans l'amélioration des équipements et services sociaux. Ils constitueront dans leur mission de défense des travailleurs un interlocuteur vigilant des entreprises transnationales.

Le rôle des syndicats dans la négociation de contrats de coopération a été évoqué très pertinemment à Genève par J.-L. Moynot, lors du colloque de notre institut sur le nouvel ordre économique international. Reprenant une idée de Georges Séguy (secrétaire général de la CGT en France), il soulignait que « les syndicats devraient, sous une forme appropriée, être associés à la négociation des aspects sociaux des contrats de coopération » (19).

---

(18) 59e et 60e sessions de la conférence internationale du travail de l'OIT : *Les organisations de travailleurs ruraux et leur rôle dans le développement économique et social,* rapport VI, 1975 (1), p. 39-48.

(19) J.-L. Moynot ajoutait, pour clarifier cette position : « Cela ne signifie pas que nous demandons à être partie contractante. Cela signifie qu'à nos yeux tout contrat devrait avoir, en principe, pour complément une convention sur les aspects sociaux, négociée avec les organisations syndicales. Dans le cas où la négociation n'aboutirait pas à un accord des syndicats intéressés, les syndicats auraient au moins, à partir des positions en présence dans la discussion, une base concrète pour agir en vue de faire respecter les intérêts des travailleurs concernés. »

Si j'insiste sur ce rôle des travailleurs, c'est pour une raison fondamentale : les rapports entre l'évolution du monde du travail et l'émergence d'un nouvel ordre économique international méritent attention. Tout comme le siècle dernier témoigne de la prise de conscience de l'injustice sociale qui caractérisait les rapports de production à la suite de la révolution industrielle, les récentes années sont marquées par la prise de conscience de l'inégalité économique entre les pays industrialisés et les pays en voie de développement, ces « nations prolétaires ». Il existe en effet un point commun entre les deux périodes, à savoir la perception d'une relation d'inégalité et d'injustice entre riches et pauvres. Cette similitude a engendré une réaction identique, prenant progressivement une forme institutionnelle : *la coalition* de tous ceux qui reconnaissent ne pouvoir isolément redresser la situation et qui veulent donc se grouper pour compenser par le nombre la position d'infériorité dont ils souffraient. Il s'agit dans les deux cas de créer les conditions permettant une discussion sur une base d'égalité. La négociation collective devient donc l'instrument privilégié dans la recherche d'un nouvel ordre économique international (20). D'où :

L'importance des organisations internationales

Investies d'une double fonction, les organisations internationales offrent à la communauté mondiale à la fois une structure d'accueil, où peuvent s'exprimer les contradictions, et un lieu de travail pour la recherche de leur dépassement. M. Kurt Waldheim aime à rappeler que la confrontation des intérêts a besoin d'un cadre pour s'exprimer et se résoudre, cadre sans lequel les rapports de forces risquent de s'exacerber et de devenir le seul moteur des relations entre les peuples.

La notion de nouvel ordre elle-même, les programmes et stratégies qui l'accompagnent sont pour une large part issus des délibérations des différentes organisations internationales. L'ONU, en tant qu'organisation universelle, devrait jouer un rôle accru dans l'établissement d'un nouvel ordre international. Elle renforcerait ainsi sa mission programmatrice et exécutive, conjuguée avec sa fonction d'incitation.

---

(20) Voir J. de Givry : « Quelques leçons à tirer du droit du travail dans les relations économiques internationales », *Revue internationale du travail,* vol. 113, n° 3, mai-juin 1976, BIT, Genève.

— La fonction programmatrice et exécutive des organisations internationales est appelée à un essor important dans la mesure où les problèmes qui se posent ne peuvent être résolus qu'au niveau multilatéral et, logiquement, les Nations unies et leurs institutions sont toutes désignées pour y parvenir. Les lacunes rencontrées jusqu'à ce jour dans cette fonction doivent être comblées à la fois par une meilleure définition conceptuelle et par l'octroi de moyens de mise en œuvre qui ont parfois fait défaut.

— La fonction d'incitation se situe à un tout autre niveau. Elle ne consiste pas à élaborer des concepts opérationnels, mais à jouer un rôle mobilisateur.

Rappeler que les Nations unies ne disposent pas d'un pouvoir de sanction identique à celui des appareils d'Etat, pour l'exécution d'une décision, est devenu un lieu commun. Croire dès lors, parce qu'elle dispose d'un pouvoir cœrcitif limité, que l'ONU est condamnée à l' « assistance technique » ou à l'inefficacité est néanmoins, je pense, tout à fait erroné. D'abord parce que cela reposerait sur l'idée que toutes les normes élaborées par elle sont des règles de droit contenant des obligations ; ensuite parce que les Etats membres peuvent réaliser, en dehors de tout risque de sanction, que le respect et l'exécution des prescriptions de l'organisation leur procurera plus de profit que leur violation ou leur ignorance. Dans ces conditions, les Nations unies sont à même de dynamiser par leur fonction incitatrice l'instauration d'un nouvel ordre économique international et les implications sociales qui en découleront. Celles-ci nécessiteront en retour l'accroissement des moyens mis à la disposition de l'organisation pour l'entrée en vigueur de ses programmes normatifs ou opérationnels.

Encore faudrait-il que l'appareil des Nations unies n'apparaisse plus comme la copie conforme du monde de domination qui légitime actuellement la revendication pour un nouvel ordre international. Il y a d'abord ceux qui donnent l'impression de continuer à vouloir détenir le pouvoir et le veto, créant ainsi eux-mêmes les bases de la « politisation » qu'ils déplorent. Il y a aussi les organes de presse et d'information qui trop souvent se bornent à insister sur des résolutions ou déclarations conjoncturelles et à dramatiser les débats qu'elles suscitent, au lieu de faire connaître l'énorme travail technique quotidiennement réalisé par les institutions spécialisées. Pour l'opinion publique, les Nations unies se réduisent alors à une caisse de résonance utilisée à leurs fins par ceux qui confondent la diatribe et l'action et qui se réfugient dans des dénonciations rappelant le mot de Shakespeare : « Full of sound and fury, but signifying nothing. »

Ces réflexions paraîtront sans doute actuelles, à un moment où, tenant compte d'influences puissantes dans son opinion publique, le gouvernement des Etats-Unis d'Amérique donne l'impression de vouloir remettre en question le fonctionnement de certaines agences à vocation mondiale. Sa décision de se retirer de l'Organisation internationale du travail qui, selon certains experts de Washington, se trouve engagée dans la voie d'une politisation croissante, remet en cause, assurent Edmond Maire et la CFDT, « la possibilité d'organiser au sein des organisations internationales une véritable confrontation ». Cette décision appelle donc ici quelques commentaires.

Les malheurs de l'OIT ou le pluralisme en question

Un de ceux qui exercèrent avec grand talent la présidence du conseil d'administration du BIT, le ministre marocain Al Khatabi, a eu un jour sur l'OIT, sa structure et ses préoccupations du moment, un mot qui en dit long sur l'attitude générale des pays en voie de développement à l'égard de cette institution :

> « De plus en plus nous n'avons, nous du tiers monde, qu'une possibilité : celle de parler de nos problèmes dans toutes les enceintes internationales. Nous priver de cette chance, c'est réduire davantage les voies du dialogue et de la participation. Et puisqu'il faut se méfier de tous les fanatismes, qu'ils soient de droite ou de gauche, rien de ce qui y conduit ne doit avoir place au carrefour des nations. »

Je considère pour ma part que toutes les institutions internationales sont de nature politique, que même si elles se concentrent sur des aspects techniques du développement humain, elles baignent dans un environnement politique qui leur donne forme et substance. C'est notamment le cas pour l'Organisation internationale du travail, dont le mandat touche à tous les domaines du milieu et des conditions de vie des travailleurs dans toutes les régions du monde et qui, par son caractère tripartite, me paraît l'institution internationale répondant le mieux à l'esprit du préambule de la charte de l'ONU : « Nous, *les peuples* des Nations unies... »

Un Américain de renom, David A. Morse, qui fut pendant

plus de vingt ans directeur général de cette organisation, a consacré à la question le temps d'une très honnête réflexion. Ses conclusions appuient la thèse que j'avance :

« De la politique, disons-le, nous en aurons toujours à l'OIT », déclarait-il à la conférence internationale du travail, en 1956.

> « Il est temps, poursuivait-il, de perdre toutes illusions que nous pourrions encore nourrir à ce sujet : cet organisme ne pourra jamais être un organisme purement technique (21). Nous traitons ici des valeurs humaines. Nos débats et nos discussions traduisent l'idée que se font les hommes et la forme qu'ils voudraient donner au monde où ils vivent. Et cette idée n'est point partout la même. La hiérarchie des valeurs diffère avec les personnes, et je ne parle pas ici uniquement des valeurs matérielles, mais encore des valeurs sociales, morales et spirituelles. Les hommes s'efforcent d'atteindre leurs objectifs dans des mouvements sociaux et politiques qui comportent parfois des heurts et des conflits. C'est peut-être l'évidence même, mais c'est là à mes yeux le point de départ de toute action internationale. »

A la conférence de 1957, M. Morse revient sur le sujet et précise :

> « Nous ne pouvons imposer à l'ensemble du monde la conception que se font de la liberté un homme et une nation. Nous ne saurions mettre en doute les leçons que chaque peuple aura tirées de son histoire, même si elles nous paraissent différer de ce que nous dicte notre propre expérience. Tenter d'imposer la liberté de cette manière, ce serait en détruire l'essence même et faire offense à ce que j'appelle la dignité des peuples... Nous ne pouvons considérer comme acquis que les objectifs en vue desquels notre organisation a été créée sont universellement acceptés, ni que, lorsqu'ils y souscrivent, tous les peuples y attachent le même sens. »

Visiblement, M. Morse n'a pas convaincu ses propres compatriotes, et nous voici revenus au temps de Foster Dulles : « Je veux tout, entièrement et tout de suite, sinon je refuse. »

---

(21) Le Dr Haase, représentant du gouvernement de la République fédérale d'Allemagne, ouvrant la 63e session de la conférence internationale du travail en juin 1977 en qualité de président du conseil d'administration du BIT, a repris le même thème avec une parfaite lucidité : « Notre organisation, devait-il déclarer, n'est pas une institution non politique *(keine unpolitische Einrichtung)*. Elle ne saurait l'être, car elle est compétente pour les problèmes sociaux dans le monde et les mesures qu'elle adopte relèvent de la politique sociale. »

Au moment où Jimmy Carter trouve en lui et en son peuple les ressources nécessaires pour proposer, à la satisfaction des premiers concernés, une solution de justice au très complexe et très délicat problème de Panama, on veut espérer qu'à l'ONU et à l'OIT les réalités d'un monde pluraliste s'imposeront à la réflexion de tous et que l'esprit de négociation et de solidarité l'emportera, même si provisoirement le gouvernement américain prend le temps d'une observation plus attentive en vue d'un engagement ultérieur plus approprié. La question du travail, dans sa nature, son organisation et sa finalité, intéresse le monde entier, et c'est bien pourquoi elle fit déjà partie d'un grand traité de paix (le traité de Versailles) (22). Qui dès lors oserait prétendre que de telles préoccupations pourraient ne plus concerner le peuple américain ? (23)

Dans cette perspective d'universalité, le retrait des Etats-Unis constitue une crise grave et presque tragique, qui appelle l'OIT à se refaire, à se ressaisir pour qu'un contrat de solidarité y soit enfin négocié en vue de la rendre présente au monde d'aujourd'hui (24). L'OIT pourrait parfaitement vivre à l'heure de la pauvreté et donner ainsi un exemple apparemment devenu nécessaire.

« L'imagination au pouvoir », « l'utopie créatrice », ce ne sont pas que des mots, ce sont aussi des instruments d'action qui peuvent mobiliser les travailleurs du monde, les entrepreneurs

---

(22) Cf. notamment la partie XIII du traité de Versailles qui, s'il ne fut pas ratifié par le Congrès américain, était néanmoins reconnu par le gouvernement des Etats-Unis, qui l'avait solennellement signé.

(23) Je ne suis pas certain que les Américains retrouveront dans l'univers des institutions internationales une organisation dont la structure et le fonctionnement répondraient aussi exactement que ceux de l'OIT à leurs vœux et à leurs exigences. A force d'insister pour que non seulement rien ne change à cette structure, mais que les formes d'expression des problèmes ressentis par une majorité profondément frustrée soient rigoureusement contrôlées, on en vient à risquer sinon la rupture, du moins la remise en cause non seulement d'avantages acquis pour soi, mais de valeurs essentielles pour tous. On lira avec intérêt à ce propos J.J. Oechslin : « La crise du tripartisme à l'Organisation Internationale du Travail » dans *Droit Social* n° 12, décembre 1977, Paris.

(24) Il reste, comme l'a affirmé M. Francis Blanchard, directeur général du BIT, que si « l'OIT, comme toute institution humaine, est perfectible, elle a depuis soixante ans donné plus de preuves tangibles de son utilité et de sa vitalité que de signes de défaillance ». On n'oubliera pas, en effet, que l'OIT a reçu en 1969 le prix Nobel de la Paix et que son travail *technique* demeure sans égal — aux yeux de beaucoup.

vrais, les créateurs d'événements. Si, comme l'a toujours voulu Albert Thomas, son véritable fondateur, l'OIT se hausse à ce niveau, et si, selon le souhait de certains, elle réussit à se débarrasser de « tout ce qui — poussiéreux, tricheur ou mesquin — s'acharne à la marginaliser », alors oui, paradoxalement mais sûrement, les Etats-Unis reviendront y jouer un rôle de premier plan. Et pas seulement eux, tous les autres pays ; donc aussi la Chine, actuellement absente.

Nul doute, en effet, à mes yeux : s'il était vraiment question d'un nouvel ordre international des peuples mobilisés — l'OIT y prenant une part active et hardie visant en priorité les préoccupations essentielles de la jeunesse d'aujourd'hui — on peut parier avec assurance que les Etats-Unis négocieraient rapidement une forme de présence réelle, efficace et vigilante. Le peuple américain et tous les autres peuples — qu'ils soient de Bavière ou d'Arabie, de Soweto, d'Amazonie ou d'Ouzbékistan — le peuple américain et tous les autres peuples ne peuvent accepter qu'un monde entier, celui du travail, se fasse et se développe sans eux, en dehors d'eux et surtout contre eux.

Mais ici, attention, et je tiens à le dire : il y a erreur et incohérence à vouloir mélanger les genres. Puisque les prises de position politiques paraissent être à l'origine du conflit que je viens d'évoquer, j'ose avancer que toute résolution ou déclaration entrant dans la catégorie de telles prises de position devrait nécessairement s'appuyer sur la Constitution de l'organisation concernée et sur les normes qu'elle a établies dans le domaine qui est le sien. Cela ne me paraît pas trop demander à l'intelligence des hommes. En un mot, la politique, oui — et c'est inévitable —, mais une politique *qualifiée*, non abusive, décemment exprimée. Et Georges Meany trouverait sans doute là une occasion nouvelle de réfléchir encore sur ces questions qui le préoccupent.

Il s'agit donc à présent d'engager la concertation entre partenaires sociaux dans une optique prospective, aboutissant à l'éclosion d'une autre structure, qui favorise cette renaissance indispensable pour le service des droits de l'homme *collectivement* réaffirmés.

En attendant, un domaine où il semble possible à tout le moins d'agir sans tarder, c'est encore celui de la présence internationale dans les grandes actions de développement. Nous devons sortir des bureaucraties de l'administration en termes de mois/hommes, de petites « programmations par pays » où l'on distribue cinq bourses ici et là, où l'on prolonge pour un an un « expert » de niveau plutôt moyen auprès d'un ministre toujours en quête d'avis.

Beaucoup espèrent que le système international s'orientera vigoureusement vers la mobilisation des forces autour de grands thèmes d'action, dans des cadres régionaux viables et autour de projets communs à plusieurs pays.

Parallèlement à cette forme de coopération internationale et outre les secours d'urgence en cas de besoin, la solidarité contractuelle que nous préconisons doit permettre de fournir des appuis aux projets locaux aidant à couvrir d'abord les nécessités des « petits, des obscurs, des sans-grade » : ceux dont les besoins essentiels ne sont pas seulement de nourriture, de logement, mais aussi de travail, de santé, d'éducation, et encore d'un peu de paix et d'un peu de liberté (25).

C'est là prendre au sérieux avant qu'il ne soit trop tard les vues de l'Organisation internationale du travail qui, en 1976, a choisi comme thème de sa conférence mondiale les problèmes de la satisfaction des besoins essentiels et de l'emploi. A quoi servent en effet le développement industriel et le développement technologique si les populations éprouvent de graves difficultés à s'assurer *le juste droit de vivre ?* Aujourd'hui, il s'agit pour les peuples d'être affranchis de la misère, d'être assurés de leur subsistance, de jouir d'une bonne santé, d'avoir un emploi digne, de participer davantage à la vie de la cité, de vivre à l'abri de toute oppression et à l'abri de toute insécurité, de bénéficier d'une éducation adéquate. Telles sont les aspirations des « sous-développés » — « Untermenschen » a-t-on même dit — actuellement « condamnés », suivant l'expression de Paul-Marc Henry, « à vivre dans des conditions qui rendent illusoire ce désir légitime » (26). L'objectif essentiel de tout contrat de solidarité est d'aider à satisfaire ce désir, non par des improvisations quotidiennes, mais par des remèdes durables parce que déterminés et mis en œuvre dans un esprit de survie humaine généralisée.

---

(25) J'insiste sur ces valeurs essentielles, ces besoins absolus et non quantifiables que Stuart Mill avait à l'esprit quand il écrivait : « Il vaut mieux être un homme mécontent qu'un pourceau satisfait, être Socrate malheureux plutôt qu'un imbécile content, et si l'imbécile et le pourceau sont d'un autre avis c'est qu'ils ne connaissent qu'un côté de la question. »

(26) P.-M. Henry, table ronde à l'occasion du 10e anniversaire de l'encyclique *Populorum Progressio,* IIES, Genève, 24 mars 1977.

Evacuer l'homicide et la violence

J'ai, à plusieurs reprises, dans les chapitres de ce livre, fait référence aux dépenses pour les armements et à leur impact sur les ressources pour le développement. Cela m'autorise peut-être à avancer une proposition dont j'ai déjà fait état dans certaines rencontres du Club de Rome auxquelles j'étais convié.

Par hypothèse, je suggère que quelques pays aux ressources modestes décident — comme le Costa Rica — de se passer de forces armées nationales et de limiter leurs organes de sécurité à la simple police nécessaire dans toute société.

Je suggère que ces pays fassent connaître leur décision à la communauté internationale (27) et demandent à celle-ci d'assurer leur protection en cas d'agression pour litiges de frontières ou tout autre motif. Voilà qui constituerait, j'en suis persuadé, le fondement d'un contrat de solidarité et servirait le développement réel des pays concernés.

Certes, des études approfondies sont indispensables pour qu'une telle approche conquière les esprits et devienne réalité. Mais ce qui m'apparaîtrait encore plus urgent, et décisif, ce seraient des initiatives politiques venant de pays *crédibles* en un tel domaine et capables de créer un véritable *pouvoir de l'exemple.*

L'idée, lancée au cours de réunions à Madrid et à Alger, fait difficilement son chemin, mais je garde l'espoir que priorité lui sera bientôt accordée. C'est pourquoi j'invite à retenir les réflexions de la Suédoise Inga Thorson, spécialiste des problèmes

---

(27) Je dis communauté internationale et non pas seulement ONU, Conseil de sécurité ou Comité de désarmement... ; j'entends par là inclure l'*opinion* publique internationale et lui donner force et responsabilité face aux divers groupes de pression menés par des intérêts particuliers. Je veux surtout croire, avec des millions d'hommes, au dernier message d'un Raoul Follereau :

« Notre monde n'a plus qu'une seule alternative : s'aimer ou disparaître.
Il faut choisir — Tout de suite et pour toujours.
Hier le tocsin, demain l'enfer.
L'apocalypse est au coin de la rue.
Jeunes gens, jeunes filles, sur toute la terre
C'est vous qui direz *non* au suicide de l'humanité... »

Voir « J'institue pour légataire universelle la jeunesse du monde ». (Testament de R. Follereau, déc. 1977.)

du désarmement, qui vont dans le sens des propositions que je formule. Ses analyses permettent de mettre en cause la théorie classique du pouvoir qui se fonde précisément sur les forces armées dont nous avons le droit de réclamer la disparition pour éviter les conflits qui tuent sans jamais rien régler. Mieux, le budget de l'Etat, réduit des dépenses militaires, cela signifie une chance d'allégements fiscaux et d'investissements sociaux au bénéfice du plus grand nombre. Cela veut dire aussi, dans la perspective de l' « anti-système » à faire éclore, un allégement policier répondant à la moindre disponibilité des instruments offensifs.

Herman Kahn, pourtant désigné par certains comme le « futurologue de la puissance » donne dans son livre *A l'assaut du futur (Things to come)* un argument supplémentaire qui n'est pas négligeable. Je le cite : « La guerre et l'utilisation des forces armées au-delà des frontières nationales, bien que toujours présentes, seront de plus en plus considérées comme anormales et inutilisables... Il devient de plus en plus difficile d'imaginer de nouvelles situations plausibles et significatives dans lesquelles l'utilisation de la force serait adéquate ou utile ». Et alors je pose simplement l'impertinente question que voici : Si même l'on devait réellement faire face aujourd'hui à une conflagration universelle dans laquelle s'engageraient toutes les forces de destruction actuellement disponibles, à quoi serviraient les « petites » armées des « petits » pays du « chétif » tiers ou quart monde ? Je réponds : — A rien. A rien de positif pour les peuples concernés et je n'ai pas besoin de longs commentaires pour justifier cette affirmation. Dès lors — vérité innocente peut-être mais vérité tout de même —, ne vaut-il pas mieux investir toutes nos ressources dans la guerre pressante du développement solidaire que *nous pouvons ensemble gagner ?* Voilà l'option que je veux partager. Je l'appelle « Contrat de Solidarité ».

Et il ne me paraît pas hors de propos d'évoquer ici un autre mal qui détruit aujourd'hui de l'intérieur certaines sociétés industrielles : la violence, le terrorisme, la prise d'otages.

La renommée, en ce domaine, du groupe Baader-Meinhof n'est plus à faire. Le drame qui, en octobre 1977, a trouvé son dénouement à Mogadiscio — grâce à une coopération mondiale sans précédent dans l'histoire des détournements d'avions — suggère la validité d'un contrat de solidarité pour la refonte et la survie de toutes nos sociétés.

Mais ici, comme je le mentionne plus loin dans le cas de la drogue, au lieu de traiter le mal seulement à sa phase finale, celle de la répression, un véritable contrat de solidarité devrait proposer un choix d'essence et d'existence à tous ces jeunes qui s'insurgent, non point toujours pour l'argent, la carrière ou les honneurs, mais souvent aussi pour exiger une « autre » société. Comme le disait Helmut Schmidt lui-même au lendemain de l'opération somalienne : « Beaucoup de jeunes désapprouvent l'accent exagéré mis par certains sur la jouissance des biens matériels qui font ainsi passer à l'arrière-plan la question du sens de la vie ».

Si tel est bien le problème posé, il confirme deux avenues de réflexion et d'action.

La première consiste à étudier toutes les possibilités d'internationaliser l'action de dissuasion, ainsi que je viens de le préconiser en proposant une solidarité internationale au bénéfice des peuples ayant eu la force de décider un désarmement général.

Car en dehors de cas tout à fait exceptionnels, chaque gouvernement peut-il vraiment entretenir de façon permanente un corps d'élite comme celui qui a opéré à Mogadiscio ? Et même si la chose était possible, ne courrait-on pas le danger de renforcer des systèmes policiers d'Etats-nations aux structures déjà contestées et qui, au-delà d'un certain seuil de contrôle, pourraient représenter un péril suprême pour la démocratie elle-même ?

Ma deuxième observation consiste à réaffirmer que le remède à la violence du désespoir, de la frustration et de l'aveuglement exige une *utopie* et je vois celle-ci dans une société de pauvreté — donc de justice, un développement solidaire, une « République coopérative » qui favorise une meilleure expression de valeurs autres que matérielles (28). Evacuer l'homicide et la violence, c'est protéger la vie, le premier fondement à tout vrai contrat de solidarité : « Tu ne tueras point ». Or vivre, ce n'est pas seulement exister, c'est aussi avoir les moyens de développer sa propre participation à l'espèce humaine. Je reviens donc à l'un de ces besoins

(28) Une réflexion du Dr Philip Potter, Secrétaire général du conseil œcuménique des Eglises à Genève mérite ici une mention spéciale : « Quand on est prisonnier d'un système intellectuel, moral, économique, social ou idéologique, on devient intolérant à l'égard de quiconque met en question ce système. Un tel système est lui-même violent parce qu'il viole les droits de l'homme. Il provoque la contre-violence et il est à la base de l'escalade de la violence... J'ai le sentiment que c'est l'intolérance structurelle de nos sociétés qui est à la base de la violence croissante qui se manifeste aujourd'hui partout dans le monde. » (Déclaration à la XIe Journée de la Paix, le 11 janvier 1978.)

essentiels dont la satisfaction requiert la solidarité négociée : l'alimentation.

La coopération alimentaire au-dela de l'aide

Si nous nous référons au domaine de la coopération alimentaire, le contrat de solidarité aurait pour particularité de ne pas se limiter à un simple programme d'aide au bénéfice de pays ou groupes sociaux nécessiteux.

Outre la satisfaction sur le court terme de besoins alimentaires, un tel accord déterminerait en effet les voies et moyens permettant le développement des ressources agricoles locales. Un plan serait ainsi établi pour une période donnée, envisageant une diminution progressive de l'aide alimentaire en proportion inverse des progrès réalisés dans le domaine agricole pour parvenir à une économie d'autodépendance (29).

Dans ces conditions, l'Etat receveur de l'aide ne limite pas son rôle à celui d'agent distributeur. Il devient un partenaire actif en s'engageant dans un programme de développement et de rationalisation des cultures vivrières, appuyé sur la participation active des travailleurs ruraux au sein des régions marquées par le déficit alimentaire.

Les termes du contrat, puis les procédures d'évaluation et de contrôle en cours de réalisation devraient donner l'assurance que les denrées fournies, ainsi que la coopération agricole engagée, bénéficieront réellement aux populations visées.

Cette assurance d'efficacité devrait constituer la première incitation pour les pays industrialisés à développer ce nouveau style de coopération alimentaire. Et, au-delà de la simple manifestation de générosité, ils y trouveraient des moyens pour réorienter leur croissance — développement de technologies et de productions agricoles dans les secteurs où se manifestent actuellement les besoins du tiers monde — et même pour en changer la nature — nouveau style de consommation des pays riches, évitant le gaspillage et la surconsommation alimentaires.

Réciproquement, la solidarité ainsi pratiquée ouvre de nouvelles

---

(29) Pour une analyse critique des diverses formes d'aide alimentaire et de leur insertion dans la politique de développement des pays bénéficiaires, on consultera avec intérêt Th. Pang, *L'Aide alimentaire. De la redistribution des produits au financement des investissements,* Cahiers de l'Institut des sciences économiques et sociales, N° 34, Ed. universitaires, Fribourg, 1974.

voies de développement aux pays ou régions soumis à la malnutrition. Les masses paysannes et salariales les plus gravement touchées seraient assurées dès l'origine du contrat de pouvoir échapper à la tragédie qui les menace. Parallèlement, grâce à une organisation qui leur serait propre et à un appui technique adapté, elles s'engageraient dans un processus de valorisation des ressources de la terre orienté selon leurs besoins.

Le contrat de solidarité — et tel est bien son objectif — serait à la source d'un développement autocentré et autoentretenu.

Dans ce contexte particulier, il se concrétiserait par :

— la dynamisation de la vie économique et sociale locale : gestion de l'aide et de sa répartition, organisation de la production par les paysans, les agriculteurs, les artisans ;

— la promotion de l'éducation en milieu rural, qui prendrait ainsi conscience de son rôle dans la stratégie de développement envisagée, notamment en déterminant lui-même les besoins à satisfaire, et par conséquent les priorités de production.

Les racines d' « un mal qui répand la terreur »

Pour être encore plus concret, je voudrais lier ce type de contrat de solidarité à la solution d'un problème social qui dépend plus qu'on ne le croit généralement de l'organisation du monde rural dans les pays en voie de développement. Il s'agit de la toxicomanie, cette plaie qui préoccupe désormais tous les gouvernements et tous les responsables sociaux, dans les pays industrialisés notamment.

En fait, l'extension de cette forme moderne de l'esclavage humain n'épargne aucun pays. Il s'agit véritablement d'un phénomène global dont la suppression doit nécessairement faire appel à une concertation, une coopération et une solidarité générales.

La communauté internationale a déjà adopté un certain nombre de mesures qui ont abouti à la « convention unique sur les stupéfiants » de 1961, complétée en 1972 par un protocole. Dans cette voie on peut tenter d'imaginer des stratégies efficaces qui viseraient à détruire ce circuit infernal dont les différentes étapes sont : la production de drogues illicites, leur commercialisation, leur consommation.

Le phénomène de la toxicomanie révèle le drame psychologique et personnel d'individus qui, par l'usage de la drogue, n'ont parfois plus d'humain que leur appartenance à notre espèce. C'est aussi un drame social puisque, marginalisées, ces victimes viennent grossir le rang des désespérés en attendant l'issue fatale.

Le Dr Olievenstein, qui mène en France une expérience riche d'intérêt, indique qu'en 1976 plus de quarante garçons et filles sont morts de la drogue (30) ; en 1977, parmi les 150 drogués — dont 80 % à l'héroïne — qui ont tenté un traitement, la plupart sont retournés à leur milieu naturel : voilà qui révèle l'ampleur du mal.

L'avilissement des uns est, dans ce domaine, le corollaire de la criminalité des autres — trafiquants, chimistes, « vendeurs de la mort » — pervertis par l'appât du gain procuré par un commerce à la fois lucratif et criminel.

Le plus souvent, les actes liés à la vente et à l'usage des stupéfiants sont soumis à la répression pénale, plus ou moins sévère selon l'efficacité du système policier ou juridictionnel des pays où ce type de délinquance se manifeste.

Certes, il convient d'encourager l'orientation actuelle, tendant à réinsérer les drogués dans la société par des procédés thérapeutiques adaptés en accentuant parallèlement la lutte contre le commerce illicite de la drogue.

Pour extirper le mal par ses racines, il est cependant indispensable, malgré l'échec de précédentes tentatives, de s'orienter plus vigoureusement encore vers le contrôle de la production, et même parfois, de façon plus radicale, vers la destruction de certaines matières premières dont sont issues les drogues dangereuses.

A l'autre extrémité de la filière, il sera alors plus facile d'aider à détourner le client d'un produit qui disparaît progressivement sur le marché. On renforce ainsi la « désincitation » des consommateurs (demarketing), selon la notion que j'ai précédemment rappelée, et l'on démantèle à leur départ les circuits servant aux trafics internationaux.

Le phénomène de la toxicomanie trouve en effet son origine dans des activités agricoles bien spécifiques : la culture du pavot à opium, du haschich ou de la feuille de coca. Pour les producteurs, qu'ils soient birmans, turcs ou mexicains, ces cultures qu'ils pratiquent depuis des générations représentent leur principal moyen de subsistance. Elles se développent donc en raison de la pesanteur de la tradition, de la recherche d'un revenu néces-

(30) A Genève, un groupe non gouvernemental, la « Permanence des jeunes », indique les chiffres suivants : décès en France par excès de consommation de drogue, 1 en 1969 ; 11 en 1971 ; 6 en 1972 ; 29 en 1974 ; 37 en 1975, et 54 en 1976.

saire à la vie, ou encore d'une pression extérieure. Il n'y a là le plus souvent aucune intention de nuire, et le caractère illicite est en conséquence mal perçu. Comment dès lors imaginer que des cultivateurs renoncent à une activité économique qu'ils considèrent comme ordinaire, au seul motif des dangers que représentent la commercialisation et la consommation de leur production ?

La culture de l'opium pour le producteur, comme le besoin de la drogue pour le consommateur, est un problème de société. Les gouvernements ressentent de part et d'autre la nécessité et l'urgence d'une intervention immédiate. Toutefois l'efficacité restera faible si les actions entreprises se limitent à un niveau strictement national.

Cela est particulièrement vrai pour les pays où sont localisées les cultures. Ces pays, souvent dépourvus d'une capacité de contrôle économique, ont des difficultés à faire le choix qui s'impose ici : la reconversion du secteur agricole qui alimente la filière des stupéfiants. En raison de leurs faibles moyens et des répercussions économiques entraînées par la suppression de cultures traditionnelles, les pays de production ne peuvent à eux seuls supporter la charge de l'opération. Il est donc impératif de lancer une action concertée entre pays producteurs et pays consommateurs, je dirais un contrat de solidarité dont le but serait de supprimer les cultures dangereuses et de les remplacer par une agriculture de rentabilité au moins égale sur le plan économique, de toute façon supérieure sur le plan social.

En plus de l'attaque du mal à sa racine, les négociateurs d'un tel contrat jetteraient les bases d'une nouvelle politique de développement rural dans ces zones, en élargissant l'opération par des mesures d'éducation et de formation des masses paysannes.

On peut difficilement imaginer que face à une jeunesse menacée, devant la progression rapide de l'usage des stupéfiants qui sape les fondements de nombreuses sociétés, les Etats membres de l'ONU ne puissent, quel que soit leur système idéologique, trouver la volonté politique nécessaire à la conclusion d'un tel contrat.

Le grave problème évoqué ici illustre l'impératif du codéveloppement : l'interdépendance des peuples et leur responsabilité commune devant l'impuissance des uns et des autres à agir seuls.

L'exemple d'un contrat de solidarité concernant l'élimination progressive des sources de la drogue peut apparaître comme se limitant encore à des aspects pathologiques des rapports mondiaux. Mais cela n'est pas sans importance puisqu'il s'agit d'une priorité universellement reconnue.

D'autres types de contrats peuvent encore être signalés : recherches communes pour vaincre le cancer, contrats d'échanges culturels libérés de toute emprise d'une culture hégémonique (31), contrats concernant la migration de travailleurs et leur milieu de vie, leur formation, leur santé, les conditions de leur retour dans le pays d'origine (32).

Autre exemple : la 23e session de l'assemblée générale des Nations unies a déclaré la haute mer « patrimoine commun de l'humanité », notion qui rejoint ce que d'autres appellent « la destination universelle des biens ». L'espace marin et ses richesses offrent de nouvelles perspectives à l'initiative des hommes en constituant une source majeure d'innovations technologiques.

Aussi, malgré les incertitudes de la conférence sur le droit de la mer, où les égoïsmes souverains gênent déjà fortement l'accord pour une action concertée, il reste néanmoins vrai que l'exploitation des fonds marins peut constituer un champ d'application de l'idée de contrat de solidarité.

Dialogue Nord-Sud : éviter le faux débat

Les contrats de solidarité ne doivent pas être des substituts ou des palliatifs par rapport aux exigences d'une structure différente des rapports internationaux. Ils supposent ou appellent la mise

---

(31) Une réflexion de Joseph Ki-Zerbo mérite encore mention : « Tout programme économique lancé par les pays industrialisés au profit des pays sous-équipés devrait comporter obligatoirement un volet culturel qui donne au projet son sens profond pour les bénéficiaires. Imagine-t-on une « convention de Lomé » culturelle ? Et pourtant, elle serait aussi nécessaire que l'autre. » (Culture et développement, IIES, Genève, novembre 1976.)

(32) En Suisse, une initiative importante s'appelant judicieusement « Etre solidaires » a finalement recueilli 50 000 signatures. Elles s'oppose au statut humiliant des saisonniers, dont les conditions de travail et de vie familiale sont tout à fait éloignées des normes internationales sur les travailleurs étrangers.

Souhaitons qu'un référendum allant dans ce sens réhabilite la Suisse aux yeux d'un monde tristement surpris par les initiatives de James Schwarzenbach.

Le Conseil d'Etat français a, quant à lui, mis un frein salutaire aux mesures qu'on entendait prendre pour limiter l'arrivée en France des familles des travailleurs immigrés. Mais le danger est-il vraiment conjuré ? Lionel Stoleru — sous le couvert du « plein emploi en période de croissance lente » — a-t-il dit son dernier mot ?

en œuvre de rapports économiques nouveaux juridiquement sanctionnés.

Ainsi, dans la confrontation que la crise du prix de l'énergie a suscitée récemment, un élément d'espoir est apparu : le dialogue Nord-Sud. L'idée était non seulement brillante et généreuse, mais tout à fait réaliste, et l'accueil qu'elle reçut permet de penser que tous étaient convaincus de la nécessité d'une telle négociation. Mais l'on sait maintenant combien peu satisfaits étaient les partenaires de chaque bord à la fin de l'exercice.

Il paraît donc nécessaire d'indiquer que le succès aurait sans doute été moins éloigné si l'on avait tenu compte de divers éléments.

D'abord, il convient de ne pas tenter de travailler en dehors du cadre des Nations unies où les petits pays estiment que leurs aspirations peuvent s'exprimer librement et où la négociation *collective* leur permet de prendre part à la détermination d'objectifs qui les concernent.

Bien des pays ont eu l'impression que le dialogue Nord-Sud était une sorte de substitution abusive aux organes réguliers du consensus international qui s'exprime par les Nations unies. Aussi M. Perez Guerrero (33), l'un des coprésidents de la conférence de Paris, a-t-il tenu à préciser en plusieurs occasions que : « Le dialogue Nord-Sud, qui engage des nations en un nombre significatif (27 participants dont l'un compte pour neuf), mais malgré tout limité, doit aboutir ou doit déboucher aux Nations unies... Quant aux mécanismes ultérieurs, nous pensons qu'ils doivent s'inscrire également dans le cadre de l'Organisation, qui réunit l'ensemble de la communauté internationale, à très peu d'exceptions près. D'autres organes peuvent venir appuyer ces instances appropriées : la commission Brandt — promue au départ par M. MacNamara — en est peut-être un exemple. *Mais ce que nous refusons, c'est l'interférence directe dans notre dialogue d'un nombre restreint de gouvernements, ou d'une commission des Sages — aussi sages soient-ils.* »

Même surprenantes, de telles prises de position gardent leur importance à l'heure où l'on émet ici et là de forts doutes sur

---

(33) Voir notamment le compte rendu de la table ronde à l'occasion du dixième anniversaire de l'encyclique *Populorum Progressio,* Institut international d'études sociales, Genève, mars 1977. Voir aussi sur ce même sujet du dialogue Nord-Sud l'excellent article de Hernan Santa Cruz dans *Transition,* bulletin du Centre international pour le développement, Paris, juillet 1977.

l'efficacité de l'ONU et sur les majorités qui s'y expriment. Lorsque l'on se gausse de la « majorité automatique » ou que l'on s'en inquiète pour le fonctionnement de l'Organisation, l'erreur, me semble-t-il, est de perdre de vue qu'il s'agit d'une majorité de réalités : majorité démographique, et donc de ressources humaines, majorité de ressources naturelles, majorité de problèmes aussi, de misères et de malheurs, souvent causés de l'extérieur (34)... Cette majorité s'exprime parfois anarchiquement et à sa façon. Faut-il la réduire au silence par la force ou par tout autre moyen ? Prenons garde. « La maladie mortelle du corps politique, avertissait Robespierre, ce n'est pas l'anarchie, c'est la tyrannie. »

Un autre élément susceptible de conduire au succès le dialogue Nord-Sud, c'est de parler le langage d'une prospective sociale intelligente. On peut déplorer en effet que la conférence de Paris se soit surtout concentrée sur le présent en utilisant des grilles d'analyse déjà dépassées. On s'est par exemple beaucoup dépensé à parler de prix des matières premières, de division internationale du travail, de commerce et d'aide. C'était important. Mais poser ainsi les termes du dialogue, c'est poursuivre le langage du pacte colonial, l'évolution du rapport de forces changeant seulement la forme du marchandage.

Quand la route des épices se révèle impasse périlleuse

Il est vrai que ce n'est pas grâce aux points d'exclamation de quelques slogans que l'on peut assouplir ou transformer les règles d'un marché qui profite d'abord aux plus forts et aux plus violents.

Les petits producteurs, qui vivent de leur coton ou de leur arachide, demandent que leur situation *d'aujourd'hui* soit supportable. On ne peut les renvoyer aux chances de réformes de structure encore à venir. C'est pourquoi toutes les actions destinées à en finir avec la détérioration des termes de l'échange et l'érosion monétaire qui affectent les plus humbles entrent dans le

(34) Dans un livre récent, *Un métier unique au monde*, (Stock, 1977), Kurt Waldheim, secrétaire général des Nations unies, reconnaît cette donnée et l'exprime ainsi : « Les pays fraîchement émancipés, désormais majoritaires dans la communauté internationale, revendiquent la place qui leur revient et entendent bénéficier d'un traitement égal. Ils supportent de plus en plus mal l' « occidentalo-centrisme », générateur à leurs yeux d'incompréhension et de préjugés. »

cadre de l'instauration d'un nouvel ordre international. C'est dans ce sens que certains « experts » considérent la convention de Lomé, entrée en application en 1976, comme une amélioration de la situation qui prévalait antérieurement sur le plan commercial, industriel, technique et financier. L'élargissement du nombre des partenaires (les Neuf de la Communauté économique européenne d'une part, et, d'autre part, 46 pays d'Afrique, des Caraïbes et du Pacifique (ACP)) permet d'envisager une situation moins « coloniale ». De plus, la convention de Lomé a introduit un mécanisme nouveau — le stabex — pour favoriser la stabilisation sinon des cours, du moins des recettes issues de certaines exportations. Ainsi, pour un groupe déterminé de produits, toute recette à l'exportation vers la CEE qui tombe au-dessous d'un niveau de référence préalablement fixé fait l'objet d'une compensation sous forme de transfert financier vers le pays associé concerné. Cette stabilisation des ressources en devises permet, comme l'a souvent relevé Claude Cheysson, d'échapper aux plus graves imprévisions dans la planification des actions de développement. Elle soulève néanmoins de très sérieuses questions : d'abord, et essentiellement en considération de l'intérêt stratégique des produits du sous-sol pour la croissance industrielle des pays de la CEE, on est forcé de constater que sur les douze familles de produits retenues dans le mécanisme du stabex une seule ressource minérale apparaît, le fer. Or d'autres produits minéraux représentent pour plusieurs des pays en question une part significative de leurs exportations. Que l'on songe par exemple au cuivre du Zaïre et de la Zambie, tous deux associés à la CEE...

Autre question non moins importante : il existe des clauses restrictives au transfert financier au cas où un pays de l'ACP modifierait sa politique d'exportation. Cela limite de façon sensible les possibilités d'une politique structurelle de production, qui peut consister par exemple à organiser l'offre d'un produit en accord avec les autres producteurs ou, au niveau interne, à remplacer sur certaines superficies des cultures d'exportation par des cultures vivrières.

Enfin on ne doit pas oublier que, sauf les cas extrêmes de force majeure, une procédure de remboursement est prévue. Les pays exportateurs risquent ainsi de ne pas bénéficier totalement d'une hausse des cours dans la mesure où ils ont le plus souvent obtenu auparavant un transfert financier.

Toutes ces raisons — et bien d'autres — ont conduit l'ensemble des pays en voie de développement, dans le cadre de ce qu'il est convenu d'appeler « le Groupe des 77 », à promouvoir et à soutenir un « programme intégré pour les produits de base ». Il s'agit là d'une proposition essentielle pour l'application d'un nouvel ordre international aux questions du commerce et du développement. Elle est d'abord apparue dans le programme d'action adopté par l'assemblée générale extraordinaire le 1er mai 1974. Deux ans plus tard, en 1976, à Nairobi, lors de la 4e conférence des Nations unies pour le commerce et le développement, une résolution fondée sur le rapport de Gamani Corea, secrétaire général, a défini les objectifs et les grandes lignes des mesures pratiques envisagées dans le programme intégré.

Celui-ci porte sur « une gamme étendue de produits de base dont l'exportation présente un intérêt pour les pays en voie de développement ». Il s'agit d'engager une série de négociations simultanées sur les principaux produits de base (35), avec pour chacun d'entre eux : la mise en place de stocks régulateurs, des arrangements en matière de prix, et des engagements multilatéraux à long terme entre producteurs et importateurs. Coiffant ces accords par produits, le programme intégré préconise *un fonds commun pour le financement complémentaire des différents stocks, un mécanisme de stabilisation des recettes d'exportation et des mesures commerciales améliorant l'accès des produits primaires et des produits transformés des pays en développement aux marchés des pays industrialisés.*

L'intérêt du programme intégré réside dans trois caractéristiques principales. Tout d'abord, il ne se limite pas, comme dans le cas du stabex, à une correction *a posteriori* des fluctuations de cours, mais inclut des mesures portant sur les quantités à produire pour atteindre son objectif spécifique : l'amélioration des recettes à l'exportation. En second lieu il associe d'autres objectifs, également essentiels pour le tiers monde : par exemple l'encouragement de la production alimentaire et la transformation sur place des produits primaires. Enfin le programme fait ressortir la réciprocité des avantages : sécurité de l'approvisionnement, suppression des « flambées de prix » périodiques pour les pays importateurs, garantie des ressources externes et meilleure planification des secteurs de production pour les pays producteurs. On pourrait donc dans ce cas appliquer la notion de contrat de

---

(35) La liste actuelle en comprend 18 : *Produits végétaux et animaux :* bananes, bois tropicaux, cacao, café, caoutchouc, coton, fibres dures, huiles végétales, jute, sucre, thé, viande. *Produits minéraux :* bauxite, cuivre, étain, fer, manganèse, phosphates.

solidarité, le programme intégré exigeant des engagements réciproques sur une série d'objectifs à long terme.

Les conditions et les formes de sa réalisation soulèvent cependant quelques questions. En premier lieu, il faudrait préciser la place du marché dans ces accords : s'agit-il de le restreindre — politique des contingentements et des engagements multilatéraux — ou de corriger seulement ses effets — stabilisation des prix et des recettes à l'exportation ? Cela engendre une seconde interrogation : comment le programme intégré peut-il inciter les pays du tiers monde à opérer des reconversions vers des productions à usage interne, limitant et maîtrisant leur commerce extérieur en conséquence ? En troisième lieu, le caractère global du programme exige, pour sa réalisation, le respect des engagements pris : application stricte des quotas d'exportation, des engagements d'approvisionnement, etc. Toute brèche dans les accords ramènerait aux dérèglements actuels. Seule la volonté politique des partenaires — base du contrat de solidarité — peut éviter une telle dégradation.

***

Les négociations sur le « programme intégré » deviennent laborieuses alors même que, dans le cas d'accords précédemment conclus, on constate d'importants retards d'application ; c'est ainsi que sur les dix-huit produits concernés, cinq font l'objet d'un accord, des pourparlers sont engagés sur trois ou quatre autres et, pour le reste, aucune négociation n'est entamée.

Si — comme d'aucuns le souhaitent — les mêmes délais et procédures qu'il a fallu pour discuter et signer certains accords de produits devaient véritablement s'imposer, nous mettrions *plus d'un siècle* pour parvenir à la réalisation du programme actuellement envisagé.

Inutile de dire que les pays en voie de développement refusent de subir ainsi la loi de manœuvres spoliatrices, que la raison désavoue. Ils veulent donc aller beaucoup plus vite et n'entendent pas laisser leurs recettes, irrégulières et faibles, se dégrader tout à fait par érosion monétaire, paiements d'intérêts non décroissants, remboursements de dettes toujours plus accablantes (36).

---

(36) L'initiative prise récemment par quelques pays (Canada, Pays-Bas, Suède) d'engager une action pour une politique internationale de remise de dettes en faveur du tiers monde est loin d'être suivie. Elle ne recueille certainement pas l'accord de ceux dont la décision résoudrait véritablement l'un des problèmes les plus douloureux de ce temps.

Il devient alors nécessaire de soulever une question *prioritaire* dont je ne perçois nulle trace dans aucun programme ou calendrier de négociation — qu'il s'agisse de la CNUCED ou du dialogue Nord-Sud. Je veux parler du rôle des bourses de commerce. Bourses de New York, de Londres ou de Paris, dont l'action reste déterminante pour tout ce qui concerne les prix des matières premières. Aux yeux des plus experts, la valorisation des exportations du tiers monde passe nécessairement par des décisions d'extrême courage à ce niveau puisqu'il s'agit de viser des forteresses abritant des officines occultes et privilégiées qui, à travers les « magouilles » de remisiers et autres acteurs obscurs, permettent à des décideurs non identifiables de peser gravement sur la vie de millions d'êtres humains. Sur ces forteresses, le temps est venu de jeter une vive lumière, non seulement pour satisfaire la curiosité de l'esprit, mais pour engager l'action de délivrance.

Comme dit fort justement le Sénégalais Makhtar Diouf à propos des bourses de commerce : « C'est là que se déterminent au jour le jour les prix des matières premières. C'est là que se joue le sort des producteurs des pays sous-développés sans même qu'ils y soient représentés... Les prix des produits manufacturés sont déterminés de manière unilatérale par les entreprises qui les produisent et les commercialisent. Pourquoi n'en serait-il pas de même pour les produits de base ? » (37).

Le poids des bourses de commerce et donc des milieux d'affaires organisés peut conduire à s'interroger sur l'incroyable absence de leurs « partenaires » du tiers monde. Je prends pour exemple l'influence qu'exerce au sein du Marché commun à Bruxelles l'Union des industries de la Communauté économique européenne (UNICE), notamment pour tout ce qui touche aux rapports avec les pays associés. Face à un syndicat patronal de cette importance — il comprend par exemple le groupe anglo-hollandais UNILEVER — comment expliquer que les gouvernements des ACP hésitent à encourager leurs syndicats de travailleurs, leurs coopérateurs et tous autres producteurs à s'organiser *vigoureusement* pour participer aussi directement que possible à des négociations qui les concernent au premier chef ?

Les mécanismes de compensation du stabex et d'autres formules du même genre sont en fait des mesures de correction de décisions prises par les bourses de commerce. La logique voudrait que ce

---

(37) Voir M. Diouf : *Echange inégal et ordre économique international,* Nouvelles Editions africaines, Dakar, 1977.

soient ces décisions elles-mêmes que l'on mît fondamentalement en cause. La recherche théorique et l'action politique devraient donc porter en priorité sur le mécanisme de fixation des prix des matières premières. Un mécanisme repris en main par les producteurs eux-mêmes et intégrant la valeur réelle de leur travail (38). Nous n'en sommes malheureusement pas là...

C'est dire combien fragile est encore la position du tiers monde malgré certaines analyses fort lucides et malgré certaines proclamations indéniablement courageuses. Il faudrait seulement en plus une volonté politique radicale pour répondre à l'apathie intransigeante et calculée des puissants, cette autre loi d'inertie qui, dans la pratique, contrecarre l'avènement d'un nouvel ordre international.

Nous en venons ainsi à constater que les résultats de la récente conférence sur le fonds commun des produits de base (novembre-décembre 1977) n'encouragent nullement à l'optimisme puisque le Groupe des 77 s'est vu contraint de réclamer une suspension des pourparlers (39).

---

(38) D'où la pertinence du discours du président de la République du Sénégal, Léopold Sédar Senghor, devant la conférence générale de l'Organisation internationale du travail le 19 juin 1971. Ce chef d'Etat souhaitait une participation de l'OIT aux efforts entrepris pour résoudre les problèmes soulevés par la détermination des prix des matières premières, la *valeur-travail* devenant ainsi une composante reconnue.

Depuis lors, d'autres interventions, provenant de délégations très diverses — Roumanie, Sri Lanka, Mexique — ont considérablement renforcé la proposition sénégalaise. Il devient pressant que ce dossier soit repris par les instances de l'OIT à l'heure où l'on cherche à relancer le dialogue Nord-Sud et en vue de la session spéciale de l'assemblée générale des Nations unies prévue en 1980 pour faire le point sur les propositions et les politiques visant à l'instauration d'un nouvel ordre international.

Préalablement — ou parallèlement — aux délibérations des instances régulières de l'OIT, l'urgence et l'efficacité exigeraient que des instituts de recherche comme l'IIES et des associations scientifiques indépendantes comme l'AMPS étudient sans délai la question ainsi soulevée de la fixation des prix dans le marché des matières premières. Et, sur ce sujet précis, on se reportera à l'article de Patrice Robineau : « Orientations de recherche pour un autre développement », dans *Travail et société*, série 1978, n° 2.

(39) A ce propos, voir document Nations unies : TD/IPC/CF/CONF/L.7/Add.2, 12 décembre 1977, qui relate les positions des différentes parties.

Consulter également les deux documents fondamentaux concernant les objectifs et mécanismes du programme intégré pour les produits de base :

Le fonds commun, dont le principe avait été accepté à la fois au terme de la conférence de Nairobi et lors du dialogue Nord-Sud à Paris, se trouve en fait remis en question par les réticences et les arguments dilatoires de quelques pays. Et l'on sait qu'il constitue pourtant un élément essentiel non seulement de stabilisation, mais aussi de coordination des politiques et des mesures pratiques liées à tous les domaines de la production et de la commercialisation des matières premières. Comme le souhaitait déjà Prebisch, il s'agit par là de favoriser la valorisation sur place des ressources du sol et du sous-sol, le tiers monde se libérant ainsi d'un trafic primaire aliénant qui lui a été imposé comme une traite et un fléau depuis que fut découverte « la route des épices » — une impasse en vérité, qui enferme toujours les plus démunis dans une misère grandissante.

Autonomie créatrice des peuples

Dans un article pertinent récemment paru (40), Alfred Sauvy a mis l'accent sur le fait que l'on ne peut espérer voir le tiers monde s'enliser éternellement à vendre des cacahuètes aux prix les plus bas et acheter les objets manufacturés à des prix toujours plus élevés. Le tiers monde s'industrialisera pour produire *aussi* des biens de consommation plus complexes pour son propre usage, au-delà de la simple subsistance.

Et dans cette optique il n'acceptera pas de se limiter au stade de la mise en forme de la production finale (usines de montage par exemple). C'est dès le stade de l'extraction des matières premières, puis au niveau de leur transformation et de leur valorisation, que le tiers monde veut maîtriser les processus de production. Pour cela, il a besoin dans un premier temps de moyens technologiques et de biens d'équipement. Comme l'analyse justement Pierre Drouin (41), les pays industrialisés peuvent trouver là un potentiel nouveau de débouchés.

Mais cette demande ne saurait être satisfaite sans le respect de conditions impératives qu'oublient le plus souvent les contrats « clés en main ».

— Résolution 93 (IV) adoptée par la IVe session de la CNUCED, Nairobi, 10 juin 1976.
— Rapport du secrétaire général de la CNUCED — TD/B/C-1/166, 9 décembre 1974.

(40) *L'Expansion*, juillet 1977.
(41) *Le Monde*, 22 juillet 1977.

D'abord, il ne faut pas perdre de vue que les produits semi-finis et biens de production ne se justifient que pour fournir au stade final des biens essentiels en quantité suffisante et adaptés au pouvoir d'achat des couches sociales majoritaires. Pour illustrer cette réflexion, je rappellerai qu'en Inde, par exemple, 40 % de la population ont un revenu inférieur à 50 dollars par an, seuil de misère fixé par ce pays lui-même.

La situation de l'emploi est un autre critère de la sélection et de l'adaptation technologiques. Pour continuer avec l'Inde, il est prévu que sa main-d'œuvre de sexe masculin passera de 152 à 196 millions entre 1974 et 1984. Créer des emplois à une telle échelle requiert de se départir des méthodes utilisées jusqu'à présent, qui se fondent sur l'importation de technologies à forte densité de capital dont le résultat le plus net est la création de « petites poches urbanisées d'une prospérité relative dans un océan de misère », comme le notent justement Ward Morehouse et Jan Sigurdson (42). Ce qui rejoint le point de vue exprimé par Francis Blanchard, directeur général du BIT, quand il déclarait en juillet 1977 devant l'ECOSOC :

> « Les capitaux continuent à être trop rares pour qu'il puisse être question de créer des postes de travail par la seule voie de techniques à forte densité de capital. Celles-ci supposent actuellement un investissement de 50 000 dollars par emploi. Or il ressort des projections de l'OIT que près de 800 millions d'êtres humains viendront s'ajouter avant l'an 2000 à la population active des pays en voie de développement, alors que, dans ces mêmes pays, quelque 300 millions de personnes sont déjà en chômage ou sont sous-employées. »

Enfin les procédés technologiques et les biens d'équipement importés doivent être maîtrisables par les cadres et travailleurs autochtones qui les appliquent et les utilisent. L'expérience montre que les pays en développement qui ont rencontré quelque succès dans la voie du progrès économique accéléré, dans l'équité et la maîtrise des besoins élémentaires de la population, ont tous adopté une même stratégie : capacité croissante de créer, d'acquérir, d'adapter et surtout d'utiliser des solutions techniques appropriées à leur situation géographique et à leurs conditions économiques et sociales. L'*autonomie technologique*, c'est désormais l'une des aspirations essentielles des pays du tiers monde.

---

(42) Voir « Technologie et Pauvreté », par Ward Morehouse et Jan Sigurdson (Research Policy Program, université de Lund, Suède).

Dans ce sens, une hypothèse de recherche est avancée par Morehouse et Sigurdson : *déclarer un moratoire de dix ans en ce qui concerne les nouveaux transferts de technologie vers les pays en développement et l'exportation par ceux-ci de matières premières non transformées.*

Je dis bien : il s'agit d'une hypothèse de recherche, visant à soustraire les pays du tiers monde au commerce de la technologie et des matières premières tant qu'ils y sont en position d'infériorité, et à leur donner le temps de lancer un processus d'industrialisation autonome en assimilant les expériences déjà acquises.

On peut imaginer ici encore un contrat de solidarité dont l'objectif mobilisateur serait à terme cette autodépendance industrielle, selon le même schéma que la coopération agricole visant à l'autodépendance alimentaire.

Ces contrats peuvent apparaître comme autant d'utopies, mais ce sont en même temps des impératifs. Beaucoup d'incompréhensions, de malentendus sous-jacents au dialogue Nord-Sud viennent du refus des pays riches de saisir le radicalisme du nouvel ordre exigé par le tiers monde. Celui-ci, au-delà des mécanismes conjoncturels de redistribution, veut recouvrer son identité et ses capacités propres. Comme je l'écrivais déjà en 1958 (43), les peuples du tiers monde disent :

1. Nous voulons réaliser nous-mêmes notre progrès et non plus seulement profiter de ceux réalisés sur nos terres natales.
2. Nous entendons progresser rapidement, au rythme du monde moderne et compte tenu de notre retard, et non seulement au gré d'on ne sait quelle fausse prudence.
3. Nous tenons à prendre en main la gestion de nos propres affaires chez nous et non à y participer dans on ne sait quelle mesure.

Il est pour le moins inquiétant, en lisant par exemple la remarquable intervention du Mahbub ul Haq à Alger lors de la discussion du projet RIO, de constater que les revendications soient demeurées les mêmes, vingt ans après...

Mais le vrai changement peut encore survenir, par la voie de la solidarité négociée. Aux échanges inégaux seraient substitués les échanges de complémentarité au second degré garantissant le mieux-être de *chaque* partie au contrat, pays ou groupes sociaux.

---

(43) « L'Afrique révoltée », Albert Tévoédjrè, *Présence africaine*, Paris, 1958, p. 19.

Il ne s'agit plus de division internationale du travail — même baptisée « nouvelle », même supposée « très améliorée ». Il ne s'agit plus de « jouir de l'esclavage ». Il s'agit de tout autre chose : *le développement de l'autonomie créatrice des peuples dans un échange international rééquilibré.*

Forts de notre espérance...

En acceptant d'insérer dans un cadre négocié et contractuel les préoccupations des peuples, c'est à la prise de conscience de notre interdépendance que nous nous invitons (44). Cela, *dans un esprit d'universalité et de décolonisation sans compromis.* Nous découvrons ainsi notre richesse commune et la nécessité pour nous de la partager en partenaires responsables qui savent que leur manière d'user du patrimoine commun en esprit de pauvreté leur donne la plus grande chance de survie. La pauvreté ainsi vécue intensifie notre puissance de réflexion et nos possibilités d'accéder à la vraie vie de l'esprit, indissociable d'un bien-être populaire par nous-mêmes ensemble promu.

Or le temps presse puisque la famine s'étend, que les armes amoncellent les cadavres et que l'air n'est plus toujours respirable.

Adam Smith raconte l'histoire d'un voyageur fatigué qui se disait : « Cette maison menace ruine et elle ne tiendra pas debout très longtemps, mais c'est bien le diable si elle s'écroule cette nuit. Je vais donc me risquer à y dormir ce soir... » Notre maison menace ruine et nous prenons des risques déraisonnables.

S'il est vrai, comme dit Jean Ziegler, qu' « une eschatologie habite l'histoire », l'utopie encore possible de notre devenir est bien « la société planétaire construite d'une façon *rigoureusement solidaire* où l'entraide active remplacerait la rationalité du profit, où la recherche du bonheur de tous se substituerait à la minable raison d'Etat et de classe ».

Par le contrat de solidarité, une voie s'ouvre pour une étape essentielle : celle de nous retrouver nous-mêmes et de prendre en charge un destin collectif. Entre le désespoir fataliste ou annihilant et l'optimisme inconscient ou béat, nous pouvons encore

---

(44) On aura intérêt à lire l'ouvrage collectif édité par Ervin Laszlo, *Goals for Mankind* (Dutton, New York, 1976), et notamment le dernier chapitre (World Solidarity Revolution).

assumer le défi constructif qui a nom solidarité ensemble définie et ensemble mise en œuvre. Seule la solidarité entre nous contractée nous détournera, je le crois, de ce vol éperdu — vision de Nietzsche — « dans cette direction vers le point où jusqu'à présent tous les soleils déclinèrent et s'éteignirent ». Et elle dira, à travers notre pauvreté vécue, la richesse de toutes nos valeurs et de toutes nos espérances.

POST SCRIPTUM

« L'enfant va partir en brousse.
Autel, prends ton eau et bois !
Que la bonne force ne parte pas avec le sang !
Que la mauvaise force parte !... »

Prière du Sage Dogon arrosant d'eau l'autel des ancêtres pour bénir son fils avant chaque nouveau départ.

Sakété (Bénin), 21 février 1978

« Je ne vais pas vous demander de devenir tous des saints (Pourtant, ce serait la solution). Je ne vais pas vous dire : Aimez-vous ! (Même remarque.) Mais seulement : Remplacez ce système qui multiplie les occasions de haine par un autre qui favorise et qui appelle la *solidarité.* Or ce changement n'adviendra pas dans la cité... s'il ne s'est opéré d'abord en vous. Si vous voulez changer l'avenir, changez vous-mêmes. » (Denis de Rougemont, *L'avenir est notre affaire.*)

Dans l'histoire de chacun, il est des lieux et des dates qui comptent profondément plus que d'autres...

C'est ce que je ressens intimement aujourd'hui en ce lieu où j'ai passé une enfance non oubliée ; à cette date précisément où, étudiant à Toulouse et militant de la FEANF, j'animais avec d'autres la « Journée anticolonialiste ».

Ce retour aux sources, ici, aujourd'hui, prend donc pour moi valeur de symbole, le symbole de *la reconquête par chaque homme de sa souveraineté personnelle — pleinement épanouie dans une discipline sociale fondée en conscience et collectivement assumée.*

C'est bien l'objet de la réflexion qui s'achève. Et pourtant, ce livre « La Pauvreté, Richesse des Peuples » risque de susciter des commentaires fort contradictoires. Certains le trouveront trop irréaliste et ne cacheront pas leur scepticisme. D'autres, tout en acceptant les thèses énoncées, voudront interroger la vie de l'auteur lui-même et son sens de la pauvreté. En exprimant leurs observations ou leurs questions, ils me rendront tous le plus grand service, et je tiens à les en remercier dès à présent.

L'autocritique collective, à laquelle j'ai invité ceux qui exercent diverses responsabilités sociales — dans le tiers monde notamment —, n'aurait de sens que si elle conduisait d'abord chacun de nous à se remettre personnellement en question... « Que la mauvaise force parte ! »

En nous mobilisant alors, de façon à faire surgir une nouvelle volonté politique, nous aurons durablement contribué à cette humaine révolution, qui nous changera et changera aussi notre environnement. Si donc vous vous sentez concerné par de telles réflexions — par celles, en particulier, sur un contrat de solidarité — et si vous souhaitez contribuer à les approfondir, je vous suis d'avance reconnaissant de vouloir bien m'écrire, à l'adresse suivante :

Institut international
d'études sociales (1)
Case postale n° 6
1211 *Genève* 22
(Suisse)

---

(1) Créé à Genève en 1960 par l'Organisation internationale du travail, l'Institut international d'études sociales a pour but de favoriser une meilleure compréhension des problèmes sociaux et des problèmes du travail dans le monde entier par la discussion, la recherche et l'enseignement.

Parmi ses divers programmes de recherche figure l'étude des conditions et des formes d'un nouvel ordre international qui intègre les dimensions économique et socio-culturelle du développement dans un même contrat fondé sur les valeurs humaines de justice, de responsabilité et de solidarité.

« Il faut que notre sang s'allume
Et que nous prenions feu
Pour que s'émeuvent les spectateurs
Et pour que le monde ouvre enfin les yeux
Non pas sur nos dépouilles
Mais sur les plaies des survivants... »

Kateb Yacine.

ANNEXES

I — Dette publique extérieure non amortie (décaissée et non décaissée) des pays en voie de développement (à faible revenu et revenu moyen), 1974.

II — Répartition des exportations mondiales, par groupe de pays, 1960, 1970 et 1975.

III — Apport net d'aide publique au développement fourni par les pays membres du CAD (Comité d'aide au développement), 1960 et 1975.

IV — Classification des pays selon leur niveau de revenu par habitant.

I

DETTE PUBLIQUE EXTERIEURE NON AMORTIE (DECAISSEE ET NON DECAISSEE) DES PAYS EN VOIE DE DEVELOPPEMENT (1) (A FAIBLE REVENU ET REVENU MOYEN), 1974

(millions de $ et pourcentages)

	(millions de $)	(pourcentages)
Pays à faible revenu	38,770.2	100,0
Sources publiques	34,100.0	88,0
Bilatérales	25,221.4	65,1
Multilatérales	8,878.6	22,9
Sources privées	4,670.2	12,0
Fournisseurs	1,894.0	4,9
Banques	2,322.7	6,0
Divers	453.5	1,1
Pays à revenu moyen	75,145.0	100,0
Sources publiques	42,099.8	56,0
Bilatérales	25,072.3	33,4
Multilatérales	17,027.5	22,6
Sources privées	33,045.2	44,0
Fournisseurs	8,919.3	11,9
Banques	18,806.5	25,0
Divers	5,319.4	7,1
Total	113,915.2	100,0
Sources publiques	76,199.8	66,9
Sources privées	37,715.4	33,1

Notes : Dans ce tableau figurent seulement les dettes — de sources à la fois publiques et privées — non amorties ou garanties par le secteur public (gouvernements ou organismes publics) des pays en voie de développement bénéficiaires. Ne sont pas compris dans ce tableau les prêts non garantis consentis aux organismes ou personnes privés, dont les chiffres ne figurent pas dans les données publiées par la Banque mondiale ; ils constituent cependant un volume important de dette supplémentaire encourue par les pays en voie de développement.

Source : Ce tableau a été établi sur la base de *World Debt Tables : External Public Debt of LDCs,* Banque mondiale, doc. n° EC-167/76, vol. 1, 31 octobre 1976, p. 114-15.

(1) A l'exception des pays de l'OPEP.

II

REPARTITION DES EXPORTATIONS MONDIALES, PAR GROUPES DE PAYS, 1960, 1970 et 1975

(milliards de $ et pourcentages)

Alors que le montant en dollars des exportations des pays en voie de développement non membres de l'OPEP a augmenté en passant de 18,9 milliards de $ en 1960 à 97,3 milliards de $ en 1975, la part de ces pays aux exportations mondiales a diminué et passé de 14,8 pour cent en 1960 à 12,0 pour cent en 1970 et à 11,1 pour cent en 1975.

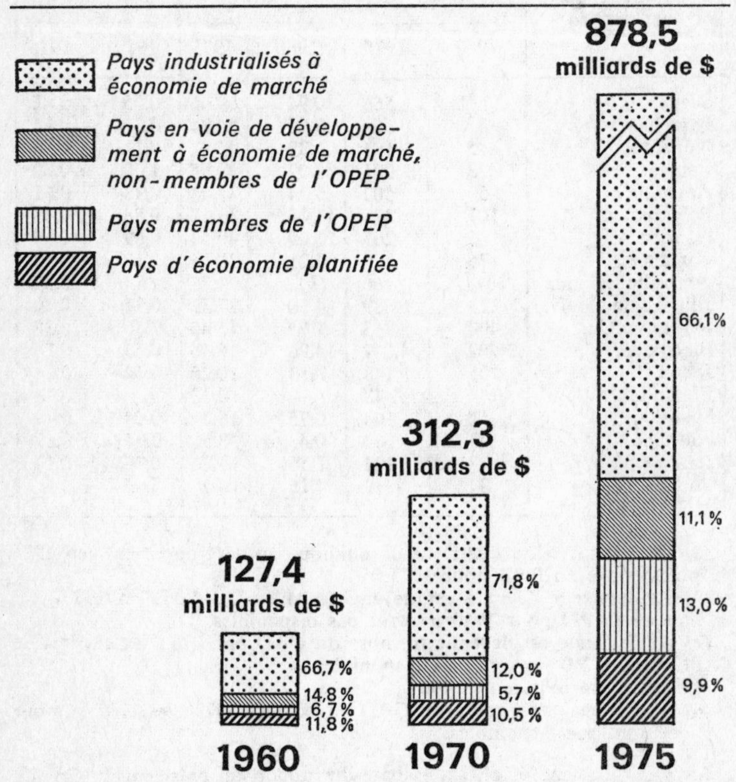

Sources : Les chiffres pour 1960 sont tirés de *U.N. Monthly Bulletin of Statistics,* vol. 19, n° 3, mars 1965, tableau spécial E ; ceux qui se rapportent à 1970 sont tirés de *U.N. Monthly Bulletin of Statistics,* vol. 30, n° 8, août 1976, tableau spécial C ; et ceux relatifs à 1975 de *U.N. Monthly Bulletin of Statistics,* vol. 30, n° 6, juin 1976, tableau spécial C.

III

APPORT NET D'AIDE PUBLIQUE AU DEVELOPPEMENT FOURNIE PAR LES PAYS MEMBRES DU CAD (COMITE D'AIDE AU DEVELOPPEMENT), 1960 et 1975

(millions de $, $, et pourcentages)

Pays classés selon l'importance de leur apport financier *(a)*	Contribution totale (millions de $)		Contribution par habitant ($)		Contribution en pourcentage du PNB	
	1960	1975	1960	1975	1960	1975
Suède	7	566	0,94	69,06	0,05	0,82
Pays-Bas	35	604	3,05	44,24	0,31	0,75
Norvège	5	184	1,39	45,92	0,11	0,66
France	823	2,091	18,07	39,65	1,38	0,62
Australie	59	507	5,74	37,54	0,38	0,61
Belgique	101	378	11,04	38,57	0,88	0,59
Danemark	5	205	1,09	40,51	0,09	0,59
Canada	75	880	4,21	38,54	0,19	0,58
Nouvelle-Zélande	*(b)*	66	*(b)*	21,26	*(b)*	0,52
Allemagne	223	1,689	4,18	27,32	0,31	0,40
Royaume-Uni	407	863	7,75	15,40	0,56	0,38
Etats-Unis	2,702	4,007	14,96	18,76	0,53	0,26
Japon	105	1,148	1,13	10,26	0,24	0,24
Finlande	*(c)*	48	*(c)*	10,20	*(c)*	0,19
Suisse	4	104	0,75	16,24	0,04	0,19
Autriche	3 *(d)*	64	0,43 *(d)*	8,50	0,04 *(d)*	0,17
Italie	77	182	1,56	3,26	0,22	0,11
Portugal	37	*(e)*	4,15	*(e)*	1,45	*(e)*

(a) Classement selon l'APD (Aide publique au développement) en 1975 en pourcentage du PNB pour 1975.

(b) La Nouvelle-Zélande est devenue membre du CAD en 1973 ; les chiffres de l'APD pour 1960 ne sont pas disponibles.

(c) La Finlande est devenue membre du CAD en 1975 ; les chiffres de l'APD pour 1960 ne sont pas disponibles.

(d) Le chiffre se réfère à 1961.

(e) Le Portugal s'est retiré du CAD en octobre 1974 ; les chiffres pour 1975 ne sont pas disponibles.

Sources : Tableau établi sur la base du rapport du président du Comité d'aide au développement, *Development Cooperation, 1971 Review* (Paris, OCDE, 1971), p. 165 et 175 ; rapport du président du Comité d'aide au développement, *Development Cooperation, 1976 Review* (Paris, OCDE, 1976), tables 2 and 44 ; et Nations unies, Department of Economic and Social Affairs, *Demographic Yearbook*, 1961, table 4, p. 126-37.

IV

CLASSIFICATION DES PAYS SELON LEUR NIVEAU DE REVENU PAR HABITANT

48 pays à bas revenu (PNB/h inférieur à 300 $) :

Afghanistan, Bangladesh, Bénin (ex-Dahomey), Bhoutan, Birmanie, Bolivie, Botswana, Burundi, Cambodge, Comores, Egypte, Empire centrafricain, Ethiopie, Gambie, Guinée, Guinée équatoriale, Haïti, Haute-Volta, Inde, Indonésie, Kenya, Lesotho, Macao, Madagascar, Malawi, Maldives, Mali, Mauritanie, Népal, Niger, Nigéria, Ouganda, Pakistan, République lao, Rwanda, Sierra Leone, Sikkim, Somalie, Soudan, Sri Lanka, Tanzanie, Tchad, Togo, Tonga, République socialiste du Viet-Nam, Yémen, Yémen démocratique, Zaïre.

39 pays à revenu moyen-inférieur (PNB/h compris entre 300 $ et 699 $) :

Albanie, Cameroun, Cap-Vert, Chine, Colombie, Congo, République de Corée, République populaire dém. de Corée, Côte d'Ivoire, Cuba, République Dominicaine, El Salvador, Equateur, Ghana, Grenade, Guatemala, Guinée-Bissau, Guyane, Honduras, Jordanie, Libéria, Malaisie, Maroc, Maurice, Mongolie, Mozambique, Nicaragua, Papouasie-Nouvelle-Guinée, Paraguay, Philippines, Rhodésie du Sud, Samoa-Occidental, Sao Tomé et Principe, Sénégal, Swaziland, République arabe syrienne, Thaïlande, Tunisie, Zambie.

35 pays à revenu moyen-supérieur (PNB/h compris entre 700 $ et 1999 $) :

Afrique du Sud, Algérie, Angola, Antilles néerlandaises, Argentine, Barbade, Brésil, Bulgarie, Chili, Chypre, Costa Rica, Fidji, Formose, République gabonaise, Guadeloupe, Hong-Kong, Irak, Iran, Jamaïque, Liban, Malte, Martinique, Mexique, Oman, Panama, Pérou, Portugal, Réunion, Roumanie, Surinam, Trinité-et-Tobago, Turquie, Uruguay, Venezuela, Yougoslavie.

37 pays à revenu élevé (PNB/h supérieur à 2 000 $) :

République fédérale d'Allemagne, Arabie Saoudite, Australie, Autriche, Bahamas, Bahrein, Belgique, Canada, Danemark, Emirats arabes unis, Espagne, Etats-Unis, Finlande, France, Grèce, Hongrie, Irlande, Islande, Israël, Italie, Jamahiriya arabe libyenne, Japon, Koweït, Luxembourg, Norvège, Nouvelle-Zélande, Pays-Bas, Pologne, Porto Rico, Qatar, République démocratique allemande, Royaume-Uni, Singapour, Suède, Suisse, Tchécoslovaquie, U.R.S.S.

NOTE BIBLIOGRAPHIQUE

On trouvera ci-dessous certains ouvrages très utiles qui viennent compléter ceux déjà cités dans le texte.

AMIN, S., *Le Développement inégal,* Paris, Ed. de Minuit, 1973.

ANGELOPOULOS, A., *Pour une nouvelle politique du développement international,* Paris, PUF, 1976.

« *L'Argent* », collectif, *La NEF,* n° 65, juillet-août-septembre 1977.

AUSTRUY, J., *Le Scandale du développement,* Paris, M. Rivière, 1965.

BAIROCH, P., *Le Tiers Monde dans l'impasse,* Paris, Gallimard, 1971.

BETTELHEIM, C., *Planification et croissance accélérée,* Paris, F. Maspero, 1964.

BRESSON, Y., *Le Capital temps, pouvoir, répartition et inégalités,* Paris, Calmann-Lévy, 1977.

COLE, J., *The poor of the earth,* London, Macmillan, 1976.

CORNELIUS, W., TRUEBOLD, F.M., *Urbanization and inequality ; the political economy of urban and rural development in Latin America,* Beverley Hills, Calif., Sage Publications, 1976.

Dag Hammarskjöld Foundation, *Que faire ? Rapport préparé à l'occasion de la septième session extraordinaire de l'assemblée générale des Nations unies,* Uppsala, 1975.

DAMACHI, U.G., ROUTH, G., ALI-TAHA, A.-R.E., *Development paths in Africa and China,* London, Macmillan, 1976.

« Du bien-être », *ZOMAR,* n° 7, septembre-octobre 1977, Sté coopérative ZOMAR, case postale, CH 2501, Bienne (Suisse).

ERB, G.F. ; KALLAB, V., éds., *Beyond dependency : the developing world speaks out,* Washington, Overseas Development Council, 1975.

« L'Essai de dialogue Nord-Sud : une année de négociations difficiles », *Le Monde,* 21 déc. 1976, p. 18.

ESSEKS et autres, *L'Afrique de l'indépendance politique à l'indépendance économique,* Paris, Maspero, 1975.

FALKOWSKI, M., *Les Problèmes de la croissance du tiers monde vus par les économistes des pays socialistes,* Paris, Payot, 1968.

FURTADO, C., *La Formation économique du Brésil, de l'époque coloniale aux temps modernes,* Paris, Mouton, 1972.

GALTUNG, J., *The Lomé Convention and neo-colonialism,* Oslo, University of Oslo, 1975.

GENDARME, R., *La Pauvreté des nations,* 2e éd., Paris, Cujas, 1973.

HENRY, P.-M., BIROU, A., *Pour un autre développement,* Paris, PUF, 1976.

HERMASSI, E., *Etat et société au Maghreb,* Paris, Anthropos, 1975.

HERRERA, A.O., *Un monde pour tous.* Ouvrage collectif réalisé sous les auspices de la Fondation Bariloche. Paris, PUF, 1977.

HIRSCHMAN, A., *Controversia sobre Latinoamérica,* Buenos Aires, Ed. del Instituto, 1963.

ILLICH, I., *Le Chômage créateur,* Paris, Ed. du Seuil, 1977.

Institut international d'études sociales, « Compte rendu du colloque mondial sur les implications sociales d'un nouvel ordre économique international » *Travail et société,* 1 (3-4), juil.-oct., 1976.

JAN, M., *La Vie chinoise,* Paris, PUF, 1976.

LACOSTE, Y., *Géographie du sous-développement,* Paris, PUF, 1965.

LARAOUI, A., *L'Idéologie arabe contemporaine,* Paris, Maspero, 1977.

LEBRET, L.-J., *Dynamique concrète du développement,* Paris, Ed. ouvrières, 1961.

MOLLAT, M., *Etudes sur l'histoire de la pauvreté,* Paris, Publications de la Sorbonne, 1974.

MOREHOUSE, W., SIGURDSON, J., *Science, technology and poverty : the issues underlying the 1979 World Conference on Science and Technology for Development,* Lund, Sweden, Lund University, 1977.

MORGAN, T., SPOELSTRA, N., éds., *Economic interdependence in Southeast Asia,* London, University of Wisconsin Press, 1969.

MYRDAL, G., *Le Défi du monde pauvre,* Paris, Gallimard, 1971.

Le Mythe du développement, Collectif sous la direction de Candido Mendes, Paris, Ed. du Seuil, *Esprit,* 1977.

NAIDU, S.B., *La Voie indienne du développement,* Paris, Ed. ouvrières, 1971.

NANA-SINKAM, S., *Pays candidats au processus de développement : capacité d'absorption, assistance extérieure et modèles de croissance économique,* Paris, Mouton, 1975.

PANG, Th., *Les Communes populaires rurales en Chine,* Cahiers de l'Institut des sciences économiques et sociales, n° 18, Ed. universitaires de Fribourg, 1967.

REGAMEY, P.R., *Pauvreté chrétienne et construction du monde,* Paris, Ed. du Cerf, 1968.

REMILI, A., *Tiers monde et émergence d'un nouvel ordre économique international,* Alger, Office des publications universitaires, 1976.

Reshaping the international order : a report to the Club of Rome, Coordinated by Jan Tinbergen, New York, E. Dutton, 1976.

ROY, M.-P., « La Convention de Lomé — CEE-Pays d'Afrique, des Caraïbes et du Pacifique — Amorce d'un nouvel ordre économique international. » *Notes et études documentaires,* (4313-4315), 1976.

SAUVY, A., *L'Economie du diable,* Paris, Calmann-Lévy, 1976.

SCHUMACHER, E.F., *Small is beautiful : a study of economics as if people mattered,* London, Blond and Briggs, 1973.

TINBERGEN, J., *Politique économique et optimum social,* Paris, Optima, 1972.

TOYNBEE, A.J., IKEDA, D., *The Toynbee-Ikeda dialogue,* Tokyo, Kodansha, 1976.

ZEVIN, L.Z., *Economic co-operation of socialist and developing countries : new trends,* Moscow, USSR Academy of Sciences, 1976.

INDEX DES NOMS CITES

TABLE DES MATIERES

Achevé d'imprimer
le 7 mars 1978
sur les presses de
l'imprimerie Laballery et Cie
58500 Clamecy

Dépôt légal : 1er trimestre 1978
N° d'éditeur : 3887
N° d'imprimeur : 18703